ELMAR

TOM WEERHEIJM

Rondje IJsselmeer

TOCHTJES VOOR DOENERS EN THUISBLIJVERS

UITGEVERIJ ELMAR

Rondje IJsselmeer
is een uitgave van
Uitgeverij Elmar BV, Rijswijk, april 2007
Copyright © 2007 by Tom Weerheijm, Amsterdam
en Uitgeverij Elmar BV, Rijswijk
Omslagontwerp: Wil Immink, Sittard
ISBN: 978 90389 1774 0
NUR 500

Voor Nederland:
Uitgeverij Elmar BV, Rijswijk
www.uitgeverijelmar.nl

Voor België:
Uitgeverij Van Halewyck, Leuven
www.vanhalewyck.be

Inhoud

DEEL EEN – TOCHTEN ROND HET IJSSELMEER

MET DE AUTO, MOTOR, FIETS OF
TE VOET VAN AMSTERDAM NAAR
AMSTERDAM

Van Amsterdam naar
  Monnickendam en Marken 9
Van Monnickendam
  naar Edam 12
Van Edam naar Hoorn
  langs de dijk 13
Van Hoorn, Enkhuizen en
  Medemblik langs de dijk 16
Van Medemblik, Wieringermeer
  naar Den Oever 20
Over de Afsluitdijk
  naar Stavoren 25
Van Stavoren naar Lemmer 35
Lemmer, Urk – Amsterdam 39
Het Oude Land 40
Het Nieuwe Land 44
Van Lelystad naar Enkhuizen 47
Van Lelystad naar Almere
  en Amsterdam 49
IJburg 54

BUSTOCHTJES

Van Amsterdam naar Hoorn 56
Van Hoorn naar Medemblik 60
Van Amsterdam via Durgerdam
  en Ransdorp naar
  Holysloot 61

BOOTTOCHTJES

Van Enkhuizen naar Medemblik
  of omgekeerd 63
Muiden – Pampus v.v. 65
Van Volendam naar Marken 68
Enkhuizen – Stavoren 70
Stavoren – Enkhuizen 73

OP DE FIETS OF TE VOET
DOOR HET WATERLAND

Waterland 76
Van Amsterdam naar
  Zunderdorp, Ransdorp en
  Durgerdam 77
Broek in Waterland,
  Zuiderwoude en terug 78
Amsterdam, Durgerdam,
  Uitdam, Holysloot en
  Ransdorp 82

WANDELTOCHTEN

Van Muiden naar Muiderberg 86
Rondje Marken 89
Broek in Waterland 94

MET STOOMTRAM EN TREIN

Museumstoomtram van Hoorn
  naar Medemblik 98
Trein van Leeuwarden
  naar Stavoren v.v. 101
Workum – Stavoren 102

DEEL TWEE – IJSSELMEER-ABC

Afsluitdijk 107
Blokzijl 110
Broek in Waterland 113
Den Oever 117
Durgerdam 119
Edam 123
Elburg 129
Enkhuizen 135
Harderwijk 140
Hindeloopen 145
Hoorn 151
Huizen 156
Kolhorn 159
Lelystad 163
Lemmer 166

Makkum 169
Marken 173
Medemblik 177
Monnickendam 181
Muiden 186
Pampus 189
Ransdorp 193
Schokland 196
Spakenburg 201
Stavoren 205
Urk 208
Volendam 213
Vollenhove 220
Workum 225

DEEL EEN
Tochten rond het IJsselmeer

Overzichtskaartje IJsselmeergebied

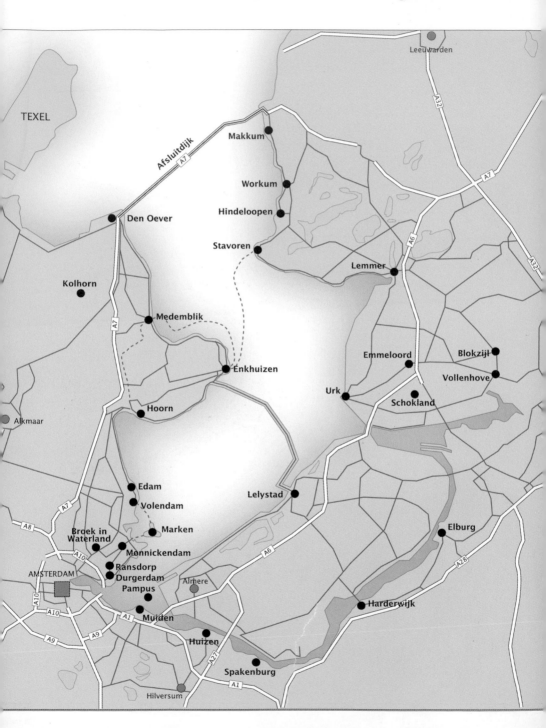

Met de auto, motor, fiets of te voet van Amsterdam naar Amsterdam

VAN AMSTERDAM NAAR MONNICKENDAM EN MARKEN

Wanneer je met de auto een 'rondje IJsselmeer' wilt maken, kun je natuurlijk de route (gedeeltelijk) per autosnelweg afleggen, maar daar valt weinig toeristisch genoegen aan te beleven. Onze route langs de voormalige Zuiderzee voert, met de wijzers van de klok mee, zoveel mogelijk over provinciale wegen en dijkweggetjes.
Vertrek je vanuit het centrum van **Amsterdam** dan is de IJ-tunnel de makkelijkste manier om naar het noorden te komen. In Amsterdam-Noord blijf je de N247 volgen. Algauw komt de afslag naar de ringweg A10-E35, maar blijf rechtdoor rijden; ook bij de driesprong Het Schouw (links is de afslag richting Landsmeer en Purmerend, de N235). Dan komen de contouren van
→ **Broek in Waterland** in zicht. Holland op z'n best: polders, koeien, schapen, water en weiden. Door het geopende raam waait de geur van gemaaid gras

je auto binnen. Pas wel goed op: de weg is smal en men overtreedt nogal eens het inhaalverbod. Schrik ook niet van bussen van het openbaar vervoer die je op hun eigen rijstrook rechts mogen inhalen.

De N247 deelt Broek in Waterland genadeloos in tweeën: **noord**, het grootste deel dat de meeste bezienswaardigheden heeft, en het kleinere **zuid**. Voor je Broek in Waterland binnen rijdt staan er verkeerslichten. Hier kun je rechts naar zuid afslaan om via kronkelweggetjes **Waterland** te verkennen (zie pagina 76).

De Grote Kerk van Monnickendam is een zogenaamde 'hallenkerk'. Bezichtiging is alleszins de moeite waard.

Iets verderop, na de brug, is een rijstrook naar links voor degenen die noord willen bezoeken. Als je de bebouwing van Broek achter je laat zie je rechts van de weg de Broekervaart. Aan de overkant van het water lopen wandelaars over het pad langs de wei. Maar die kunnen ook voor het fiets- en wandelpad (links van de weg) van en naar ➤ **Monnickendam** kiezen. De stompe toren van de Grote Kerk van Monnickendam is al van verre te zien. Neem voor een bezoek aan het stadje de eerste afslag; na de brug kun je rechts bij de Zarken parkeren. Je kunt ook doorrijden naar het voormalige eiland ➤ **Marken**. Na de bebouwde kom van Monnickendam gaat de weg over in een dijkweg (de Zeedijk). Achter de dijk ligt de Gouwzee, een vogelrijk gebied met vooral veel zwanen. Op sommige plekken kun je parkeren om op de dijk te klimmen, zodat je een wijds uitzicht op Marken, Monnickendam en heel in de verte ➤ **Volendam** aan het **Markermeer** hebt. Op de dijk is een fietspad waar bij mooi weer veel wordt gefietst en joggers zich in het zweet rennen. Als je met de rug naar de Gouwzee (vroeger 'Goudzee' genaamd) gaat staan heb je een mooi uitzicht op beschermde vogelnatuurgebieden waar in het voorjaar kievieten, goudplevieren, grutto's,

Op de dijk langs de Gouwzee, tussen Monnickendam en Marken, kun je afslaan naar Zuiderwoude.

ganzen en zwanen broeden. Na het gemaal, halverwege de Zeedijk, kan men rechtsaf naar **Zuiderwoude**. Voor de weg staat een inrijverbod voor auto's, maar let op: dat verbod geldt alleen tijdens spitsuren. Het is een smal weggetje met aan weerszijden slootjes waarvan het water bijna gelijk loopt met de drassige wallenkant. Voor het geval er een tegenligger komt zijn er naast de weg vluchtstrookjes gemaakt. In Zuiderwoude kun je verder naar Uitdam in het Waterland, een heerlijk gebied om te fietsen. Blijf je op de Zeedijk van Monnickendam, dan kom je na een bocht naar links op de dijk naar **Marken**. Die dijk, die in 1959 gereedkwam, wordt aan beide zijden omringd door water. Rechts staan aan het Markermeer vier windturbines en aan de kim nog eens tien, zuidwestelijk van Flevoland.

De dijk naar Marken was onderdeel van plannen om een deel van het Markermeer in te polderen tot Markerwaard. Na protesten in de jaren zeventig van de vorige eeuw zijn die plannen gelukkig ingetrokken. Nu zal men het wel uit het hoofd laten om weer met zo'n plan te komen. Auto's van nietvergunninghouders worden op Marken niet toegelaten; voor je Marken binnenrijdt is er een parkeerplaats.

VAN MONNICKENDAM NAAR EDAM

Wil je met de auto een beetje snel van **Monnickendam** naar ➤ **Edam** en vervolgens naar ➤ **Hoorn**, dan is de eenvoudigste manier daarvoor de landelijke N247 te blijven volgen. Het wijst zich allemaal vanzelf. De tussenliggende dorpen en stadjes kun je dan gewoon voorbijrijden, al is het leuker om zo nu en dan van de rechtstreekse route af te wijken.

Na het Texaco-tankstation langs de N247 gaat de weg wat omhoog naar de brug over de Purmer Ee. Dit water was vroeger het zeegat vanuit de polders met de Zuiderzee. Hier werd het hout uit landen rond de Oostzee aangevoerd en verwerkt. Links zie je een houtzagerij liggen; rechts de Gouwzee met aan de oever een watersportjachthaven. Tijdens strenge winters wordt op het ijs van de Gouwzee met door de wind aangedreven ijsschuiten gezeild. Soms zelfs helemaal van Monnickendam naar Marken.

Als je de afslag naar **Katwoude** neemt, kom je op een alternatieve route naar **Volendam**. Op de hoek staat de 'Irene Hoeve', een kaasboerderij en klompenmakerij. Op het erf staat een reuzenklomp waarin toeristen zich graag laten fotograferen.

Je kunt ook op de N247 blijven

Mocht er weer een strenge winter komen dan kun je met ijsschuiten over het ijs zeilen.

langs de kabbelende Ringvaart met halverwege een opvallend lelijk ijzeren 'kunstwerk'. Op de rotonde kun je rechtdoor naar **Edam** en rechtsaf naar **Volendam**. Langs de weg staat op het dak van hotel-restaurant Van der Valk een vreemde vogel te gluren. Voor je de vissersplaats binnenkomt passeer je de Katwoudermolen uit 1896. Overtollig water uit de polder wordt door de molen op het Markermeer geloosd.

Volendam is een grote trekpleister voor toeristen. Wil je, komend met de auto, Volendam bekijken, probeer dan tijdig je auto te par-

Aan de rand van Volendam staat de Katwoudermolen.Deze poldermolen doet nog steeds nuttig werk.

keren! Binnendoor kun je naar **Edam**. De aardigste route is om na het dorp de dijkweg langs het IJsselmeer te nemen. Onderweg kom je langs de oude zeesluis en na nog een paar kilometer recht-door kom je dan in het centrum van Edam. Wil je de kortste weg naar **Hoorn** of binnendoor naar het stadje, volg dan na de sluis het water tot je rechts twee klap-bruggetjes ziet. Om die brugge-tjes, die 1,80 meter breed zijn, met een auto te kunnen nemen is de nodige stuurmanskunst vereist. Heb je het eerste geno-men, dan kun je links de Heren-gracht op om in het centrum te

komen. Je kunt Edam ook links laten liggen en na het tweede bruggetje rechts het Oorgat in gaan om de weg langs de dijk richting **Hoorn** te nemen. Als je rechtdoor rijdt, kom je op de N247. Van hieruit is het 20 kilometer naar Hoorn en 22 kilo-meter naar Amsterdam. Rechts op het kruispunt staat nabij het joodse kerkhof een monument van Rachel, het sym-bool van de eeuwige joodse moeder. De tekst op de sokkel luidt: *Rachel beweent haar kin-deren.*

VAN EDAM NAAR HOORN LANGS DE DIJK

Rijdend over het Oorgat richting Galgenveld passeer je rechts de sluis en daarna kom je bij de dijk aan het Markermeer. Aan deze Zeevangszeedijk staat links een met rozenstruiken begroeid, sprookjesachtig wit woonhuis met pilaren: 'Huis de Meeuwen'. Iets verderop ligt een brede gracht met knotwilgen: **Het Fort bij Edam**, dat onderdeel is van de Stelling van Amsterdam en op de Werelderfgoedlijst van de Unesco staat. De bedoeling was om bij vijandelijkheden de polder **De Zeevang** onder water te zet-ten (inunderen) om zo een opmars naar Amsterdam te ver-hinderen. Het fort is niet toegan-kelijk, maar er worden wel

excursies gehouden, zodat je kunt bekijken hoe de 255 officieren en manschappen dit klusje zouden moeten klaren. De weg langs de dijk is een verrukkelijk stukje Nederland. Hier en daar kun je via een kantelhek op de dijk klauteren vanwaar je tussen de keutels van de schapen over de voormalige Zuiderzee kunt turen. De golven klotsen tegen de zwarte basaltkeien, vogels scheren over, de frisse wind voel je door je haren en de frisse lucht snuif je binnen. Op de dijk loopt een deel van het **Zuiderzeepad**. De wandelroute die over een afstand van vierhonderd kilometer van Enkhuizen naar ➤ **Stavoren** voert – en omgekeerd.
In het hele gebied zijn monumentale stolpboerderijen met de typische zwarte, vierkante hooihuizen of 'kaakbergen' te bewonderen. Sommige boeren exploiteren een minicamping. Wanneer je met de auto langs de dijk rijdt, kun je je wat bezwaard voelen wanneer fietsers voor jou moeten uitwijken en jouw uitlaatgassen moeten inademen. Laat toch vaker die auto staan, denk je dan. Zeker op zonnige dagen, wanneer groepjes wielrenners, getooid in kokette Tour de France-outfit, hun best doen elkaar bij te houden. Op dat soort dagen zijn er ook heel wat stoere motorrijders, doorgaans oudere jongeren, die op hun vrije dag de bolide van de zaak vervangen voor hun geliefde Harley Davidson of een modernere, glimmende uitvoering.

De dijk om de polder De Zeevang werd omstreeks 1300 aangelegd, maar bij elke stormvloed waren er wel dijkdoorbraken. Die *braken* zijn te herkennen aan de ettelijke plassen met rietvelden beneden in de polder. Voor het dorpje **Warder** zijn dat: *de Grote Braak*, *de Moordenaarsbraak*, *de Zandbraak* en de *Hogendijkerbraak*.

In het voormalige tolhuis van Warder is nu hotel-restaurant ''t Tolhuis' gevestigd. Ter hoogte van **Etersheim** staat een molen

Linkerpagina: Verkeer geeft doorgang aan nietsvermoedende koeien die op weg naar het slachthuis gaan.
Onder: Schardam en de banpaal. Heb je iets op je kerfstok dan mag je niet verder.

op de diepste plek van Noord-Holland: 6,5 meter onder zeeniveau. Na de watersnood in 1916 is de put waar deze molen in staat met de hand gegraven om met de gewonnen klei de dijk op te hogen. Het gemaal 'Warder' (1998) en de molen zorgen voor de afwatering. Een kerkje met een *dakkapel* trekt de aandacht. Het kerkje wordt door particulieren bewoond en kennelijk hebben die genoeg van pottenkijkers, gezien het briefje op de deur van het voormalige godshuis: 'Geen informatie, geen collecte, geen verkoop aan de deur.'

Ook in het volgende dorpje, **Schardam,** is het kerkje aan de dijk bewoond en niet te bezichtigen. Rechts van de sluis is een

De banpaal met op de top een eenhoorn met het wapen van Hoorn.

jachthaven en camping 'Voor Anker'.

Bij de sluis staat een *banpaal* uit 1761. Had je vroeger iets op je kerfstok, dan kon je voor een licht vergrijp uit je stad of streek verbannen worden; had je iets ernstigs geflikt dan hing veroordeling tot de galg of onthoofding boven je hoofd. Op de banpaal van Schardam staat een eenhoorn, het symbool van Hoorn, die diende om aan te geven waar de jurisdictie van de stad ophield. Bannelingen uit de stad mochten de grenspaal richting Hoorn niet passeren. En was je in Hoorn tot de galg veroordeeld, dan was je laatste gang naar

Scharwoude, waar je in de galgenbocht op de Westerdijk de strop om je nek kreeg. Op het galgenveld werden de lijken van de geëxecuteerde misdadigers nog een tijdje ter afschrikking tentoongesteld.

Vóór Scharwoude, bij de 'Bedijkte Waal', staat een monument van 'Noorse' keien, dat herinnert aan de dijkdoorbraak in 1675. Heel Holland kwam toen tot aan het IJ onder water te liggen. Omdat de kolkgaten diep waren, werd de dijk met een bocht eromheen gelegd, zodat de weg hier een slinger maakt.

Verderop is het stoomgemaal 'Westerkogge' uit 1868 ter vervanging van de windmolens die tot dan strijd leverden met het overtollige water uit de polder. Achter de dijk kijk je over de **Hoornsche Hop** met in de verte Hoorn. In 1573 was dit het strijdtoneel van de 'Slag om de Zuiderzee' tussen de watergeuzen en de Spaanse vloot. Aan de rand van de stad staat een gebouw dat doet denken aan een sportcomplex, maar 'Het Park' is de schouwburg van Hoorn.

VAN HOORN, ENKHUIZEN EN MEDEMBLIK LANGS DE DIJK

In Hoorn is het even zoeken om de dijkweg langs het Markermeer te vinden. Je kunt het

Aan de muur van het raadhuis van Schellinkhout worden de eerste steenleggers uit 1765 herdacht.

beste **Schellinkhout** aanhouden. In de polder staat aan de dijk 'De Grote Molen' uit het begin van de 17de eeuw. De 'kleine' molen heeft het loodje gelegd; wel staat bij de molen een stoomgemaal uit 1900. Schellinkhout is een agrarisch dorp, eigenlijk een stadje, want in 1402 kreeg het stadsrechten. Er wonen amper negenhonderd mensen en die wonen bijna allemaal in de Dorpsstraat die 33 bochten telt. Deze Dorpsstraat verbindt de N506 (Hoorn – Enkhuizen) met de Schellinkhouterdijk aan het Markermeer. Tegen de hervormde Martinuskerk is een fraai raadhuisje (1765) gebouwd, dat nu als bibliotheek dienst doet. Op het kerkhof zijn drie oorlogsgraven van Britse militairen van de Royal Air Force, die tijdens WO II boven het IJsselmeer zijn verongelukt.

Terug op de dijk stuit je op de in 1921 uitgegraven kleiput 'De Nek', te herkennen aan de groene picknickbanken op de weide voor een binnenwater. Dit gebied is een broedkolonie voor watervogels en tevens een geliefde plek voor surfers. Verderop, bij camping "t Hof" stond vroeger **kasteel Wijdenes**. Waar precies weet men niet, waarschijnlijk ergens buiten de dijk die in 1434 is opgeworpen. Wijdenes dankt zijn naam vermoedelijk aan Roelof van Wienesse, een Scandinaviër die hier in de 7de eeuw op een zandrug een kasteel bouwde. Later (1282) veroverde graaf Floris V het kasteel op de Vrije West-Friezen en maakte er een dwangburcht van om het volk onder de duim te houden. Maar ook hier was de zee machtiger dan welke machthebber ook...

Vervolgens zie je onder aan de dijk die bekleed is met zwarte 'Noorse' keien, het vluchthaventje van Wijdenes. Zandstrandjes met schelpen uit de tijd van de Zuiderzee kom je hier overal tegen.

Bij **Oosterleek** staat op de dijk een stalen, negen meter hoog lichtbaken, 'Het vuurtje van Leek', met op zijn ronde schild de woorden:

We wouldn 't mind the sun, dear if it didn't set.

Verderop hevelt het gemaal 'De Drieban' afvoerwater uit de polder via dikke buizen hoog boven de dijk naar het Markermeer. Voor ¤ **Enkhuizen** is nog een gemaal: de 'Grootslag ll'. Ook is hier de **Broekerhaven** met de elektrische scheepslift uit 1923 te zien. Scheepjes, volgeladen met West-Friese tuinbouwproducten, werden vanuit de poldersloot door het rad over een houten helling die met een laag klei

Zandstrandjes uit de tijd van de Zuiderzee kom je hier overal tegen, zoals in de luwte van het IJsselmeer bij Onderdijk boven Wervershoof.

was bedekt naar boven getrokken en naar de haven getild.

Het is mogelijk om vanaf hier op de N302 te komen. De dertig kilometer lange Houtribdijk of Markerwaarddijk verbindt Enkhuizen met → **Lelystad**. Op pagina 47, 48 en na pagina 163 daarover meer.

Ongeveer vier kilometer ten noordoosten van **Enkhuizen**, in het buurtschap **Oosterdijk**, staat in de luwte van de dijk vuurtoren 'De Ven'. Op verzoek van zeevarenden besloot het loodswezen in 1699 tot het bouwen van drie 'Suyderzeese vuurbakens' om de schippers de weg naar Amsterdam te wijzen. Eén kwam in Marken te staan, één bij Durger-

dam en deze op de **Gelderse Hoek**. Een strategisch punt, want het scheepvaartverkeer op het IJsselmeer van Enkhuizen naar Medemblik v.v. moet op deze plek, waar het land een uitstulping maakt, een ruime bocht maken en in het pikkedonker kan men hier zonder lichtbaken gemakkelijk aan lagerwal raken. De zeventien meter hoge toren is het domein voor kieviten; ze vliegen vrolijk in en uit, maar voor publiek is de toren niet toegankelijk. Voor hen staan op de dijk bankjes vanwaar men goed kan zien hoe schepen vlak langs de wal varen. Soms zelfs kun je de gesprekken op de schepen horen.

Bovendien kan men daar van dichtbij kijken hoe palingvissers in de weer zijn; hoe ze van hun kotter overstappen op een klein motorbootje waarmee ze naar de fuiken voor de kust varen om die te lichten. Zwermen krijsende meeuwen proberen een graantje mee te pikken en verdringen elkaar om overboord gegooid afval te bemachtigen.

Vier windturbines markeren een waterwingebied waar uit IJsselmeerwater drinkwater wordt gemaakt.

Dan volgt **Andijk**, een plaatsje om weer bij stil te staan. De gereformeerde kerk is sinds 1929 een opvallende verschijning: de ranke toren is 45 meter

De Dijkwerker van Andijk symboliseert
de noeste arbeid in de zompige
kleigrond.

hoog. De kerk wordt ook wel de
'Gereformeerde Kathedraal'
genoemd; er is plaats voor
twaalfhonderd bezoekers. Egbert
Reitsma is de architect.
Aan de dijk is in de oude Buur-
tjeskerk uit 1667 restaurant
Meijers gevestigd waar, volgens
zeggen, elk gerecht smaakt alsof
engeltjes op je tong piesen.
Verderop ligt aan de oever van
het IJsselmeer bungalowpark
'Het Grootslag', genoemd naar
het voormalige gemaal en nu
poldermuseum Grootslag. In dit
gebied werd in 1927 de *proefpol-
der Andijk* (40 hectare) aangelegd met als doel ervaring op te

doen met het oog op de toekomstige Zuiderzeewerken.
In de bocht van de Onderdijk
staat de *Dijkwerker*, een bronzen
beeld van Jan van Velzen uit
1981.
Voor de bebouwing van ➤
Medemblik staat het imposante
stoomgemaal 'De Vier Noorder
Koggen'. Het gemaal uit 1869 is
als museum ingericht en is van
maart tot oktober te bezoeken.

VAN MEDEMBLIK, WIERINGERMEER NAAR DEN OEVER

Op de dijk van de voormalige
Oosterhaven van **Medemblik**
heb je, met de rug naar het stationnetje staand, niet alleen een
weids uitzicht over het IJsselmeer, maar als je naar links kijkt
ook een riant uitzicht over de
Wieringermeer. En ben je van
plan om van hier naar ➤ **Den
Oever** te lopen, te fietsen of te
skeeleren dan moet je wel 'haver
in de benen' hebben. De tocht is
niet zo lang, ongeveer 25 km,
maar een beetje saai, hoewel er
onderweg ook leuke dingen te
zien zijn. Onderstaande route is
ook met de auto te volgen. We
gaan op pad:
Voor je via de Medemblikkerweg
de Wieringermeerpolder binnenrijdt, staat links van weg de
molen 'De Herder' te pronken.
Direct in de polder kun je links

de kaarsrechte weg naar Kreiler-oord en verder naar Den Oever inslaan, maar kies liever voor de weg langs de dijk. Het hoogte-verschil met vanwaar je vandaan kwam is hier goed zichtbaar: niet minder dan 5,3 meter beneden Amsterdams Peil. Het gemaal 'Lely' dat aan de dijk staat, staat er samen met het verderop gele-gen gemaal 'Leemans' garant voor dat je geen natte voeten krijgt. De gemalen zorgden ervoor dat in 1930 de Wieringer-meer werd drooggemalen en later, na het bombardement van 1945, werd dat kunststukje her-haald.

Het gemaal Lely, een van de twee gemalen die de Wieringermeer drooghouden.

Het markante witte, uit gewa-pend beton opgetrokken gemaal 'Lely' is ontworpen door archi-tect Dirk Roosenburg (1887–1962), een tijdgenoot van de bekendere Willem Dudok. Binnen het door elektro-motoren aangedreven gemaal is een kunstproject te bezichtigen. Niet veel verder is een vishandel aan huis die moeilijk te passeren is zonder er een broodje paling te smikkelen. De broodjes worden er royaal belegd, dus... Verderop kom je nog een palingrokerij tegen – opnieuw een uitnodiging voor een gezonde hap: de onver-zadigde vetten van paling heb-ben immers, evenals die van haring, makreel, zalm en andere vette vis, een gunstige werking op de verlaging van het choles-

terolgehalte in het bloed. Het Voedingscentrum raadt de mensen aan om één à twee keer per week vette vis te eten. Hoe dat moet als t.z.t. de zeeën zijn leeggevist, is moeilijk voor te stellen. (Als je na je broodje paling de auto wilt instappen en je voorruit blijkt onder de dode vliegjes te zitten, neem dan je toevlucht tot een handige tip uit *De Enkhuizer Almanak*, jaargang 411: verwijder ze met een spons die bekleed is met een stuk oude panty of nylonkous...) De boerderijen die je in de Wieringermeer passeert hebben allemaal dezelfde vorm en de kavels van 250 bij 800 meter die de Staat na de inpoldering aan een select gezelschap boeren uitgaf, zien er ook allemaal hetzelfde

uit: eindeloze akkers met aardappelen, bieten en kool. Het rechte stuk van de Zuiderzeedijkweg is niet opwindend te noemen, ook al word je vanachter een hek van een van de boerderijen uitgenodigd voor een 'Hot Sex Party'.
Ter hoogte van **Kreileroord** stond eens een oerbos dat in de 15de eeuw bij de Sint-Elisabethsvloed werd weggevaagd. Waar de dijk een knik maakt, staat een ijzeren lichtbaken en iets verderop is een onaantrekkelijk haventje, de Oude Zeug. Dit was een werkeiland toen de polder werd ingepolderd, nu is het een vluchthaven voor schepen op het

Achter het woonhuis is een grote schuur gebouwd, strak en rechtlijnig.

Links: Gedenksteen aan de muur van
het Lelygemaal.
Rechts: De Oom Keesweg die naar het
onderduikadres van Kees leidde.

IJsselmeer. Het wordt ook
gebruikt tijdens de oogst van de
gewassen uit de polder.
Het laatste deel van de route
loopt door **De Wielen** en het
Dijkgatsbos. Toen de Duitsers in
april 1945 op twee plaatsen de
dijk hadden opgeblazen kwam
de hele polder onder water te
staan. Zevenduizend inwoners en
honderden onderduikers die in
de oorlog hier hun heil hadden
gezocht, moesten ijlings de polder verlaten. De dijk werd na de
oorlog hersteld door deze met
een bocht om de twee diepe
kolkgaten die waren ontstaan,
heen te leggen. Op het inge-
stroomde zand zijn daarna bos-
sen aangelegd, waar in het moe-
ras riet- en watervogels hun
kostje bij elkaar scharrelen.
Je kunt hier linksaf naar **Wierin-
gerwerf**. Onderweg kom je langs
de Oom Keesweg. Die weg is

een hommage aan 'Oom Kees',
die in de Tweede Wereldoorlog
joodse onderduikers in zijn boerderij onderbracht. Nu kan men
er onder vrolijker omstandigheden in de camping 'Land uit
Zee', Oom Keesweg 12a, of over
het viaduct van de A7–E22 bij
Bed & Breakfast 'Het Buitenhuis'
onderdak vinden.
Nadat de Zuiderdijkweg van
naam is veranderd in Noorder-
dijkweg kom je in het **Robben-
noordbos** met een natuurkam-
peerterrein. Dit gebied is ook de
habitat voor reeën en broedvo-
gels zoals sperwers, buizerds,
wielewalen, grote lijsters, berg-
eenden en houtsnippen.
Aan het IJsselmeer bevindt zich
een grote jachthaven, 'Marina
Den Oever', je bent nu op de
kruin van de Kop van Noord-
Holland en je voelt je nu helemaal weer in de bewoonde
wereld. Wanneer je iets verder
gaat kom je bij het door diesel-
motoren aangedreven gemaal
'Leemans'. De aanpalende sluis
schut schepen 3 à 4 meter van

en naar het Amstelmeer Kanaal en het IJsselmeer. Bij de sluis heb je uitzicht op de sluizen van de → **Afsluitdijk** en het scheepvaartverkeer op het IJsselmeer. Beneden is een palingrokerij en het is goed om daar 'op doktersadvies' een paling te verorberen. Via een tunnel kun je op de A7–E22 en daarmee de Afsluitdijk of Den Oever bereiken.

Maar je kunt ook nog een rondje maken door de N99 richting Den Helder tot **Hippolytushoef** te nemen. Midden in het dorp staat de St.-Hippolytuskerk en daar kun je in een bocht langs **Noordburen** en **Stroe** terug naar Den

Een zeilschip verlaat de jachthaven van Den Oever.

Oever. Op de Stroeërweg 39 is het **Wieringer Eilandmuseum** in de boerderij van Jan Lont. Je kunt daar op de zeedijk klimmen om over de Waddenzee te kijken. Verderop ligt Den Oever. Landinwaarts, in de omgeving van de grote zwerfkei 'Westerklief' zijn in 1995 zilveren munten en sieraden afkomstig van plunderende Vikingen gevonden. Recentelijk is in een bouwput ook een Vikingzwaard aangetroffen. Het gaat om Deense Noormannen die in de 9de eeuw cadeaus van de bevolking van dit strategische kustgebied kregen op voorwaarde dat ze hen tegen plundertochten van andere Vikingen zouden beschermen. Vaak bleken die geschenken parelen voor de zwijnen – het

Links: Een jongeman bekijkt hoe onder hem de sluisdeuren bij het gemaal Leemans zich openen.
Rechts: De kerk van Hippolytushoef.

fijne daarvan is in het **VIC**, (Vikingen Informatie Centrum) Havenweg 1, in Den Oever te vinden.

OVER DE AFSLUITDIJK NAAR STAVOREN

Bij Den Oever begint de 32 kilometer lange **Afsluitdijk**. Een standbeeld van Cornelis Lely, de Minister van Waterstaat die de Zuiderzeewerken ontwierp, stond tot voor kort tussen de twee snelwegen aan het begin van de **Stevinsluizen**. Men heeft Lely niet van zijn sokkel gehaald omdat hij heeft afgedaan, maar omdat zijn beeld de automobilisten te veel afleidde. Het is de bedoeling dat dit door Mari Andriessen gemaakte beeld van een tegen de wind in tornende Lely – dat veel gelijkenis met Lenin in Russische stijl vertoont – vijf kilometer verderop weer wordt opgericht. Overigens, een kopie van het beeld staat op de Lelyzuil voor het stadhuis van ➤ Lelystad.

Aan de kant van de Waddenzee loopt vanaf de Buitenhaven van Den Oever een wandelpad tot aan de sluizen. Verder lopen kan via het fietspad van de Afsluitdijk. Wanneer de bellen gaan rinkelen om aan te geven dat de slagbomen dalen kun je je maar beter snel uit de voeten maken,

want daarna wijkt de draaibrug 45 graden naar zee om schepen van en naar het IJsselmeer door te laten. De sluiswachters hebben uiteraard camera's in hun wachttoren, maar je weet maar nooit. Als de schepen door de sluizen zijn komt het autoverkeer weer op gang en kun je je weg over het fietspad vervolgen. De kolossale sluizen zijn hangend over de ballustrades goed te bekijken. Bij eb op het wad lozen de schutsluizen overtollig zoet IJsselmeerwater, een krachtige stroom vloeit dan de Waddenzee in. Soms wordt bij vloed zout zeewater op het IJsselmeer geloosd, zodat roofvissen, zoals

Linkerpagina: Recht door zee strekt de Afsluitdijk zich voor je uit met aan bakboord de Waddenzee en aan stuurboord het IJsselmeer.
Onder: 't Monument met uitkijktoren, de loopbrug over de dijk en een informatiezuil bij de parkeerplaats (*links*) en *rechts* de Stevinsluizen.

paling en zalm, zich landinwaarts kunnen verspreiden.

Tussen de pijlers van de sluizen hebben vissers fuiken in het water geplaatst, meestal zijn daar wel een paar vissers met werphengels in de weer. Kokmeeuwen loeren vliegend tegen de wind in of er wat eetbaars te vinden is en wanneer ze iets ontdekken, maken ze een duikvlucht en bevechten elkaar krijsend de prooi.

Bij de sluizen staan, half verborgen in een duin, enkele kazematten ('bunkers' is de Duitse benaming). Een windturbine en een rood vuurtorentje vallen meer op.

Wanneer je de Stevinsluizen bent gepasseerd, kom je op het rechte stuk van de Afsluitdijk. De dijk zou eigenlijk 'dam' moeten heten, want achter een dijk behoort land te liggen en hier is aan weerszijden water. De benaming 'dijk' is te verklaren uit het feit dat de plannen van Lely oorspronkelijk de inpoldering van

de gehele Zuiderzee behelsden. Op de locatie waar op 28 mei 1932 de Zuiderzee werd gedicht staat **'t Monument**: een uitkijktoren die door Willem Dudok (1884–1974) is ontworpen. Aan de IJsselmeerzijde is een zwartbronzen plaquette, ontworpen door Hildo Krop, aangebracht met een voorstelling van drie steenzetters met de woorden: *Een volk dat leeft, bouwt aan zijn toekomst.*
De uitkijktoren heeft op de begane grond een kiosk waarvan de uitbater met trots vermeldt dat dit de kleinste souvenirshop van Nederland is. Langs de wenteltrap naar boven staan automaten met kauwgom- en toverballen. Buiten op de ramen van lunchroom ''t Vooronder' staat aangekondigd dat 'eigen meegebrachte etenswaren' niet mogen worden genuttigd. Soms zie je in de luwte van het gebouw iemand snel nog even een hap van een meegebracht broodje nemen.
Over de snelweg is een voetgangersbrug met aan de kant van de Waddenzee een parkeerplaats waar op de keien een aardig beeld van een steenzetter staat. Halverwege de dijk kom je bij **Breezanddijk**. (Je bent dan inmiddels in de provincie Friesland). Oorspronkelijk was het een werkeiland voor de aanleg van de Afsluitdijk. Er valt niet veel te beleven. Verderop bij

Kornwerderzand (op z'n Fries: Koarnwertersân) wel, daar zijn de **Lorentzsluizen** en aan de kant van het IJsselmeer het **Kazemattenmuseum** (van mei t/m sept. op wo + za geopend).
Aan het einde van het straatje op het voormalig werkeiland in Kornwerderzand staat op een veldje een mini Stonehenge-rotsblok van 13.870 kilo. Een koperen plaat geeft uitleg: *Deze steen is aangeboden door de steenleverancier van de Basalt Union.* Dat hadden ze niet moeten doen, zal men gedacht hebben toen men dit cadeau in de schoot geworpen kreeg. Soortgelijke keien werden bij het maken van de Afsluitdijk gebruikt. De steen staat op kleinere basaltblokken. Waarschijnlijk om vandalen te verhinderen dit relikwie mee naar huis te nemen is het geheel omringd met een stalen afrastering. Bij de steen ligt ten faveure van de grossier van de stenen een aantal monsters uit zijn assortiment gegroepeerd. Keigoed zou je kunnen zeggen...
Op steenworp afstand staat een picknickbankje met een informatiebord over de Lorentzsluizen. Het bord heeft een schuin afdakje zodat je er bij slecht weer onder kunt schuilen – waarbij je de druppels in je nek voor lief moet nemen.
Het infobord laat weten dat de

Beneden aan de Zeedijk is de honderdjarige Cornwerdermolen in de weekeinden te bezichtigen.

sluizen schepen schutten van en naar het IJsselmeer. Dat is een open deur. Interessanter is de mededeling dat de hefdeuren aan de IJsselmeerzijde zo nu en dan 50 centimeter worden geopend, waardoor een zoetwaterlokstroom voor trekvissen zoals paling, zalm en zeeforel ontstaat. Op die manier wordt bevorderd dat deze trekvissen de zoetwater-paaigebieden beter kunnen bereiken.

Na de Afsluitdijk sla je vóór het knooppunt **Zurich**, langs een groep windturbines rechtsaf richting **Cornwerd**. Op de Zeedijk heb je een 360 graden panorama over het IJsselmeer, de Afsluitdijk en de weiden van **Friesland – Fryslân** op z'n Fries. Wandelaars kunnen tussen de schapen en op sommige plaatsen koeien over de kruin van de dijk lopen.

Vóór Cornwerd (Koarnwert) staat een poldermolen uit 1907 die door vrijwilligers wordt bediend en onderhouden. Cornwerd is het eerste terpdorp dat je op dit traject tegenkomt. Voor de afsluiting van de Zuiderzee lag voor de kust een reeks zandplaten, zoals Holle Poarte, Makkumer Noordwaard en Makkumer Zuidwaard. Toen er na de aanleg van de Afsluitdijk geen eb en vloed meer bestond en ze permanent droogvielen werden het belangrijke natuurgebieden.

Watervogels, zoals aalscholvers, eenden, futen, ganzen, smienten en visdiefjes komen er om te broeden en te forageren.

Het stadje → **Makkum** bereik je door de dijkweg even te blijven volgen. Makkum is beroemd om zijn aardewerk en is één van de steden van de Elfstedentocht, de tocht over tweehonderd kilometer natuurijs. Schaatsliefhebbers krijgen warme gevoelens wanneer ze aan de tocht in de barre vrieskou denken.

Wanneer je het stadje bekeken hebt en de Zeedijk weer hebt opgezocht, volgt het terpdorp **Piaam**. Het heeft een beschermd dorpsgezicht; een aantal huisjes is om de kerk gegroepeerd en in het weiland staan her en der kophals-rompboerderijen. In een ervan is restaurant 'Nijnke Pleats' gevestigd. Ook heeft Piaam een vogelmuseum: "'t Fûgelhûs'. Terug naar de Zeedijk. De smalle weg wordt af en toe onderbroken door ijzeren roosters, dat het vee moet beletten naar de buren

Polsstokspringen en het kerkje van Piaam.
Rechterpagina: De haven van Makkum biedt elk wat wils.

over te lopen. Wanneer een auto over zo'n rooster rijdt, maakt dat een ratelend geluid. Sommigen maken er een sport van om met een rotgang over de roosters te scheuren zodat het lijkt of er oorlog is uitgebroken. Maar meestal is het hier vredig; je hoort alleen de wind, de vogels, het blaten van een schaap en het tevreden loeien van koeien die zich te goed doen aan het malse gras. Links van de Zeedijk stroomt de Dijkvaart. Het moet heerlijk zijn hier in de winter te schaatsen. 's Zomers varen er kanootjes en zeilbootjes. Over de sloten in de

wei wordt vaak aan polsstok-
hoogspringen (*fierljeppen*)
gedaan. Deze sport is ontstaan
bij het zoeken naar kievitseieren.
Leuk om naar te kijken, vooral
wanneer er iemand in het water
plonst.
Buitendijks, verscholen tussen
de rietkragen van het natuurgebied **Kooiwaard**, staat een vogelkijkhut.
Na de gehuchten **Gaast** en **Fer-
woude** komt ➤ **Workum** in het
vizier. Aan de rand van dit stadje
staat (sinds 1899) de parmantige 'Ybema's poldermolen'. Workum is een stadje om minstens
een dagje te verblijven.

❦ Nadat we in Workum hebben
rondgekeken en het werk van
Jopie Huisman in het gelijknami-

ge museum hebben bewonderd,
strijken we neer op een terrasje
in de schaduw van de Grote of
St.-Gertrudiskerk. Op het gezellige marktplein, de Merk, besluiten we om in dit stadje de nacht
door te brengen. We kunnen kiezen uit de twee hotels die op het
marktplein hun terras hebben
uitstaan: 'De Gulden Leeuw' en
de 'Herberg van Oom Lammert
en Tante Klaasje'. We kiezen
voor de laatste en na de ver-
moeiende dag willen we met de
kippen op stok. Als we onze
kamers opzoeken blijken die op
een soortement hooizolder te
zijn. De kamers zijn getimmerde
houten hokjes met in elk kamer-
tje een bedstee. Gelukkig zonder
strozak, maar met een behoorlijk
matras. De 'badkamer' is ook in

Voor Workum staat te midden van de weiden de sierlijke 'Ybema-molen'.

It is de boer al
like folle
as ke ko skijt
as de bolle.

ouderwetse stijl uitgevoerd en heeft een ludieke houten plee. We slapen als een roos. 's Morgens worden we in alle vroegte gewekt door het ge-tok van kippen. We nemen aan dat dit een automatische wake up call is voor het ontbijt, maar als we naar beneden lopen, merken we dat we zijn gewekt door échte kippen. Het kippenhok is ook op zolder, hetgeen ons gisteren in het duister niet was opgevallen. In de gelagkamer staat naast ons tafeltje een leitje waarop de met krijt geschreven tekst:

We snappen de teneur van dit Friese gezegde. Na het ontbijt met kakelverse eitjes gaan we, alvorens bij de bakker een sûkerbolle (Fries suikerbrood) voor thuis te hebben gekocht, op pad.

Vanuit het centrum van Workum kom je via het Sud bij de sluis aan de **Aldedijk**. Aan de sluis ligt de oude zeemansherberg waarvan de gelagkamer is omgebouwd tot restaurant 'Séburch'. Naast de sluis staat de gerestaureerde scheepstimmerwerf 'De Hoop'. In de houten schuur wor-

Langs de dijk van Hindeloopen kun je lekker zonnen en zwemmen in het IJsselmeer.

den sinds 1694 zeilboten, zoals het kofschip gebouwd. Vóór de sluis bevindt zich het haventje van de stad. Op de kade staan drie Franse douanehuisjes. In de Franse tijd verbood Napoleon de handel met Engeland, hetgeen de ondergang van de palinghandel van Workum met Londen veroorzaakte.

Schepen die via **Het Zool** (**Soal**), een recht kanaal, van en naar het IJsselmeer willen varen, liggen in het haventje aangemeerd. Wanneer je Workum de rug toekeert, zie je een poldermolen uit 1770, volg in de richting van ➤ **Hindeloopen** de Lange Leane die een stukje langs Het Zool loopt. Na een bocht komt de provinciale weg N359 langszij. Op de kruin van de robuuste dijk, die in 1624 werd opgeworpen, kun je te voet naar Hindeloopen en ➤ **Stavoren**, een tocht van ongeveer zestien kilometer. Is dat niet je bedoeling, blijf dan het weggetje naast de provinciale weg volgen. Na een tijdje kruist rechts van het stationnetje Hindeloopen het boemeltreintje Leeuwarden – Stavoren je pad. **Hylpen** is een Anton Pieck-achtig stadje, leuk om te bekijken. Je zult je verbazen over de hoeveelheid 'curiosa' die in de schuur van de Hindelooper markt te koop wordt aangeboden en je kunt uitblazen in onder andere 'De Hinde', 't Oost 4 (bij het sluisje), waar je Friese nagelkaas (kaas met onder andere kruidnagelen) kunt eten.

Na Hindeloopen kun je kiezen voor de smalle Westerdijk (Sedijk) om naar Stavoren te komen. Op de kruin van de dijk is het er met een zonnetje 's zomers kennelijk goed toeven, gezien het aantal mensen dat er dan ligt te zonnen. Buitendijks is er een badpaviljoen en binnendijks de camping Hindeloopen (Westerdijk 9).

Bij de bocht van **Molkwerum** (**Molkwar**) strekt zich een ruig, drassig gras- en rietland uit, dat ontstaan is door aangeslibd zand. Het is een van de vele natuurreservaten onder het beheer van It Fryske Gea, waar rietstekers – een oud ambacht dat in deze

streek nog actief wordt beoefend – hun handel verzamelen. Molkwerum werd, evenals Hindeloopen, in de Gouden Eeuw bewoond door 'grootschippers' die voor Amsterdamse reders voeren.

Hengelaars kunnen Molkwerum aandoen om bij 'Miep Aaswinkel' maden en wormen te kopen. Is dat niet de bedoeling, ga dan verder naar **Stavoren**, waar natuurlijk 'het vrouwtje van' bekeken moet worden.

Stavoren wordt meestal een van de 'dode stadjes' rond de voormalige Zuiderzee genoemd. Laten we het erop houden dat het een 'rustig' stadje is. Het lijkt er wel op dat alleen de havenmeester zich hier druk maakt: hij fietst en loopt je telkens voorbij van en naar de havens om havengelden te innen en om de oude sluis te bedienen.

Vanuit de serre van hotel-restaurant 'De Vrouwe van Stavoren' kijk je, als er tenminste geen geparkeerde auto's pal voor je neus staan, uit op de knusse Oude Haven. In Stavoren zijn naast een viskraam goede viswinkels te vinden.

De VVV, vlak bij het stationnetje en de aanlegsteiger van het veer naar Enkhuizen, verkoopt een brochure met informatie over het stadje waarin ook een (zeer) beknopte Staverse woordenlijst is opgenomen. Je leert dat twee *twiy* is, azijn *eek*, libelle *skûns-koater* en dakkapel *kadûster*. Het is altijd makkelijk om vreemde talen te kennen...

VAN STAVOREN NAAR LEMMER

Als je bij het 'J.L. Hooglandgemaal' het Johan Friso Kanaal oversteekt kom je op de Zuiderzeedijk. Links in de polder ligt **Warns**, dat bekend staat om de historische Slag bij Warns maar ga rechtdoor, want in het dorp zelf is daarvan niets te zien. Plotseling gaat de weg omhoog en

De grote kei die hier in de ijstijd belandde, lag voor het oprapen om als gedenksteen voor de Slag bij Warns te dienen.

beklim je een tien meter hoge heuvel van keileem, de **Roode Klif**. Die naam is ontleend aan de rode kleur (geoxideerd ijzer) in het keileem. Aan de weg staat tussen kleine zwerfkeien een grote zwerfkei; ze zijn in de ijstijd door landijs uit Noord-Europa naar hier meegesleurd. De grote kei is de gedenksteen van de Slag bij Warns. Op de kei staat de spreuk: *Leaver dea as slaef* (*Liever dood dan slaaf*). Op 26 september 1345 vochten de boeren uit de omgeving tegen een legertje van vijfhonderd ridders van graaf Willem IV van Holland. De Hollanders wilden eerst het rijke Stavoren veroveren en daarna geheel Friesland. De Friezen hakten de Hollanders in de pan: de graaf kwam daarbij om het

leven en het schamele overschot van zijn manschappen sloeg op de vlucht. Elk jaar wordt in september bij de gedenksteen de vrijheidsstrijd herdacht, waarbij de Friese taal, cultuur en identiteit worden bekrachtigd.
Buitendijks bestaat de Roode Klif uit een brede beschoeiing en heb je een prachtig uitzicht: bij helder weer is aan de overkant van het meer Enkhuizen te zien.
Bergafwaarts kom je in **Laaxum**, met het kleinste Zuiderzeehaventje van Friesland. Vroeger was dit de thuishaven van twintig jollen, waarop in de Zuiderzee bij de zandbank **Het Vrouwezand** op bot werd gevist. Aan het haventje staan verweerde, ronde taantonnen waar eens de netten werden getaand met een bederfwerende

verfstof. Op een weitje staat de voormalige visafslag er treurig en vervallen bij. Hoog tijd voor een restauratie, voor alles instort! Bij de zandplaats **Mokkebank** is een vogelkijkhut, de **Mok**, waar vogelaars in alle rust het gedrag van de vogels kunnen bekijken.

In **Mirns** staat op het dorpskerkhof een witte, houten Friese klokkenstoel. In de Tweede Wereldoorlog heeft een neerstortende bommenwerper een vorig exemplaar vernield; de huidige klokkenstoel dateert dus van na de oorlog. Na Mirns loopt de weg tussen het **Rijster-**

In het haventje van Laaxum ligt een palingvisser uit Hindeloopen aangemeerd.

Links: De klokkenstoel van Mirns.
Rechts: De vogelkijkhut 'Sondelerleien'.

bos en de **Mirnser Klif** langs het IJsselmeer om vervolgens af te buigen naar het brinkdorp **Oudemirdum** en verder te slingeren naar **Nijemirdum**. Dit is een bosrijk stukje **Gaasterland** met grote boerderijen en een landhuis uit 1843 in neoclassicistische stijl, de 'Riniastate'. Gaasterland is in de ijstijd ontstaan toen ijsmassa's uit Noord-Europa in zuidelijke richting schoven. Na een klimaatverandering werd het ijs smeltwater dat de stenen gladschuurde en het glooiende landschap met zand bedekte. Later ontstond in de lage gedeelten veen. Daaroverheen

kwam een laagje klei dat uit de Zuiderzee kwam.
In Gaasterland zijn werktuigen van de zogenaamde neanderthalers gevonden. Zij noemden de streek 'gaasten', omdat de zandruggen hen deden denken aan geesten.
Zuidelijk van Nijemirdum staat de enige molen van Gaasterland, ''t Zwaantje' uit 1893. Als je verder de dijkweg richting → **Lemmer** rijdt kom je langs de vogelkijkhut 'Sondelerleien'. Vanaf de weg kun je over een plankier de houten halfopen hut bereiken en ongezien voor watervogels hun gedrag op het meer bekijken. Rechts van de hut, aan de sompige waterkant, staat nog een kijkpunt. De vogels voelen zich erin thuis: wanneer ongewenst

bezoek nadert, richten ze zich blazend op en kun je maar beter omkeren.

Bij **Tacozijl** kom je op de provinciale weg (N359) en bij het gemaal over het stroompje de Ee. Vroeger was dit de doorgang van schepen van het Slotermeer naar de Zuiderzee, maar nu kan dat alleen via het Prinses Margrietkanaal.

Vlak bij de sluis van Tacozijl bevindt zich onder de voet van de IJsselmeerdijk de joodse begraafplaats **Teakesyl**. De joodse gemeenschap van Lemmer richtte (in 1802) hier het kerkhof op vanwege de goedkope grond. Een begrafenisstoet deed er in die tijd een uur over om vanuit Lemmer naar Tacozijl te komen. Het 'Ir. Woudagemaal', een stoomgemaal, staat op de Werelderfgoedlijst van de Unesco en is van maart tot oktober te bezichtigen. Bij noodweer wordt het gemaal weer in gebruik genomen om het overtollige water uit het Friese achterland op het IJsselmeer te lozen.

Bij de sluis in **Lemmer** staat de leugenbank: mannen kijken in gedachten verzonken voor zich uit of vertellen de stuurlui van schepen binnen de sluis hoe ze moeten varen. De leugenbank is Lemsters pleisterplaats en forum om je mening over de plaatselijke en wereldpolitiek te verkondigen. Een veelgehoorde verzuch-

ting is: 'de hoge heren is het alleen te doen om hun zakken te vullen'. Een woeste wildeman kijkt op hen neer.

Het beeld van *de Wildeman* (1773) staat op de gevel van 'Hotel Wildeman', Schulpen 6. Tijdens de oorlog tussen Engeland en Frankrijk in 1799 voeren de Engelse oorlogsschepen de Zuiderzee op. Nadat Enkhuizen, Medemblik en Stavoren waren bezet was Lemmer aan de beurt. Twee Engelse oorlogsschepen lieten hun ankers voor de haven zakken. Kapitein James Boorder ging met een sloep met een witte

Aan de overkant van de leugenbank van Lemmer kijkt men vanaf de sluis hoe een schipper op weg is naar het IJsselmeer.

vlag aan wal om met de bestuurders te onderhandelen. Op dat moment brak er een storm los waardoor de kapitein niet naar zijn schip terug kon en hij was genoodzaakt drie dagen in de herberg Wildeman door te brengen. James Boorder eiste dat het dorp zich zou overgeven: bij weigering zou Lemmer aan flarden worden geschoten. Lemmer wees onverschrokken de eis af, waarna de Engelsen het dorp met achttienponds kogels beschoten. Na anderhalf uur stak men op de kerk de vlag uit ten teken van overgave.

De hervormde kerk en de hele omgeving straalt nu een gemoedelijke sfeer uit; voor de kerk staat een aardig beeldje van een vissersman. En aan de leestafel

van 'de Wildeman' zitten mensen die met hun plezierjacht Lemmer hebben aangedaan de krant te spellen. Het bericht dat de politiek de met zwart geld betaalde jachten zal gaan aanpakken, slaan ze over...

LEMMER, URK – AMSTERDAM

Lemmer ligt aan de A6, je kunt van hieruit Heerenveen of Emmeloord bereiken. Je kunt ook kiezen voor binnenwegen. De N712 gaat via Rutten dwars door de Noordoostpolder rechtstreeks naar → **Urk**, maar je kunt ook voor de Noordermeerweg of het fietspad op de ringdijk kiezen, de zogenaamde LF 20 Flevoroute. Vertrek dan bij het gemaal 'Buma', zuidelijk van Lemmer. Als je de dijk neemt kom je langs het vuurtorentje 'De Rotterdamse Hoek'. Die naam is gekozen omdat hier in de dijk puin is gestort dat afkomstig was van het bombardement op Rotterdam in mei 1940. Daarna passeer je enkele windturbines, om ten slotte uit te komen bij de vuurtoren van Urk. Op het voormalige eiland snuif je wandelend door de steegjes – 'ginkies' zoals ze die hier noemen – afwisselend de geur van vis en frisse zeewind op. Dat was na de sluiting van de Zuiderzee wel even anders: het zoute water werd eerst brak en daarna zoet, met als gevolg dat

zoutwatervissen, zoals Zuiderzeeharing, ansjovis en bruinvis stier-
ven en gingen rotten. Er hing
toen een enorme stank op Urk.
Vervolgens brak er een muggen-
plaag uit, waardoor het water in
de regentonnen – voor veel
Urkers het enige drinkwater –
vervuild raakte. En toen kwamen
spinnen de muggen opeten...

HET OUDE LAND

Wil je om de Noordoostpolder
heen, neem dan vanuit Lemmer
de Hopweg naar **Kuinre**.
Het Waaggebouw aldaar uit
1648, de oude geveltjes en de
resten van **de burcht van Kuinre**
zijn overblijfselen van een roerig
verleden. De Heren van Kuinre
waren brute zeerovers; hun kas-

teel lag strategisch op de Hanze-
routes naar het Oostzeegebied.
Ze plunderden handelsschepen
en kooplieden werden nogal eens
overmeesterd en vastgehouden
tot er losgeld werd betaald. Ook
deden de heren aan valsemunte-
rij. Moet je pinnen bij de flappen-
tap van Kuinre, let dan extra op,
je weet maar nooit...
Als de vissers van zee kwamen
moesten ze nog anderhalve kilometer varen voordat ze bij het sas
(de sluis) waren. De sluis had
waaierdeuren die vanzelf dicht-
gingen wanneer een hoge vloed
richting haven kwam. Bij de houten klapbrug over het Nieuwe
Kanaal was een steiger voor de

Tussen Lemmer, Rutten en Urk kom je
langs rustieke gehuchten.

vissersschepen. De brugwachter daar was tevens kastelein; op de vloer van zijn kroeg werd – zoals gebruikelijk in die tijd – zand gestrooid; dat is makkelijk bij het verwijderen van de fluimen pruimtabakssap.

Op weg naar Leeuwarden liepen veel schepen, diep geladen met koopwaar uit Holland, Kuinre binnen. Vissers uit Volendam gingen 's zondags in Kuinre naar de kerk; Kuinre is bij de reformatie katholiek gebleven. De haven en aanlegsteigers liggen nu, na de aanleg van de Noordoostpolder, op het land.

Door het vredige dorp loopt de N351, maar een mooie en span-

Het kerkje van Blankenham en het hoogwaterkanon op de Blokzijlerdijk.

nende route is de Punterweg richting **Blankenham**.

Twee hoogwaterkanonnen stonden aan de Blokzijlerdijk, even buiten Blankenham, opgesteld. Deze kanonnen moesten de bevolking waarschuwen als het water van de Zuiderzee te hoog dreigde te worden. Eén schot betekende alarm voor extra hoog water; bij twee schoten moest men zich gereedmaken om naar de zolder te verhuizen en drie schoten betekenden dat de noodtoestand werd afgekondigd. De oorspronkelijk bronzen kanonnen mochten zich door de jaren heen in een grote belangstelling verheugen: in 1800 pikten de Franse troepen een van de twee in; het andere werd als souvenir in ➤ Blokzijl gehouden, tot de Duitsers

er in de Tweede Wereldoorlog mee vandoor gingen. In 1812 plaatste men twee nieuwe kanonnen op de dijk bij Blanken-ham – ditmaal van ijzer. Een staat nu in de havenkom van Blokzijl, het andere in het museum van ➤ Schokland .
Voor het afschieten van elke losse flodder werd eerst tien pond kruit met een stok in de loop gedrukt, een slaghoedje werd aangebracht en met een trek aan een touwtje werd het kanon afge-schoten. Het kruit werd in het houten huisje, het *Oldehuys*, bewaard.
Dat vroeger veel dijkdoorbraken

Een dijkdoorbraak zorgt wel voor een mooi landschap.

voorkwamen is te zien aan de vele kolken aan de oostelijke kant van de vroegere zeedijk. Ook het moerasgebied **De Weer-ribben** (3500 ha) kwam onder water te staan toen de dijk in 1825 hier op zes plaatsen door-brak. De Weerribben zijn ont-staan door het afgraven van het veen voor turfwinning. In smalle stroken land, 'ribben', werd de uitgebaggerde turf te drogen gelegd. 'Weren' of 'petgaten' worden de verveende delen genoemd die weer volliepen met water. Het open water groeide geleidelijk dicht en er ontstonden rietlanden. De teelt van riet, gebruikt voor dakbedekking, werd zo'n honderd jaar geleden een belangrijke bron van inkomsten voor de plaatselijke bevolking. In het bezoekerscentrum van Nationaal Park De Weerribben (Hoogeweg 27 in Ossenzijl) is meer info verkrijgbaar.

Om een 'originele' foto te maken kun je bij **Baarlo** linksaf slaan en het gehucht **Nederland** bezoeken. Wil je liever zo snel mogelijk meteen 'Kaatje bij de sluis' over haar bolletje strijken, ga dan nog

Een winters plaatje van Nederland; in de lente zorgt moeder zwaan dat kinderen bij het 'eentjesvoeren' niet te dichtbij komen.

even rechtdoor zodat je in ➤ **Blokzijl** komt. Aan de Bierkade heb je een prachtig panorama van het stadje. Met je rug naar de oude geveltjes staand kijk je recht het zeegat uit – al is het nu een grasland. Aan de haven, waar de rondvaartboten liggen aangemeerd, staat het hoogwaterkanon aan de ketting; links zijn de sluizen en daar staat Kaatje op haar sokkel.

Het is aantrekkelijk om van hier een uitstapje door de Wieden naar **Giethoorn**, het 'Venetië van het noorden', te maken en de herinnering van de film *Fanfare* uit 1958 van Bert Haanstra op te halen.

De volgende stop is ➤ **Vollenhove**, makkelijk te bereiken via de Vollenhoofsedijk.

Bij de diepe havenkom van Vollenhove staat op het droge het beeldje van de Durgerdammers die na een tocht op een ijsschots over de Zuiderzee hier aanspoelden.

Een bezoekje aan het monument van de onfortuinlijke Durgerdammers Klaas Bording en zijn twee zoons, op een grasveldje naast de kerk, is een *must*.

HET NIEUWE LAND

De provinciale weg N352 duikt bij gemaal 'Smeenge' de **Noord-oostpolder** in. Over deze weg kom je langs Ens (➤ Schokland) en Nagele in ➤ Urk. Vóór Urk kun je bij knooppunt Urk de snel-weg A6 nemen en later het Ketel-meer oversteken.

De Noordoostpolder werd in 1940 drooggemalen en samen met de Flevopolders (Oostelijk en Zuidelijk Flevoland) vormen ze de provincie Flevoland. **Emmeloord,** de hoofdstad van Flevoland, heeft een 65 meter hoge (water)Poldertoren uit 1959 die je langs een trap met 243 treden kunt beklimmen. De dorpen Ens en Nagele zijn in de jaren vijftig van de 20ste eeuw ontworpen door architecten van de Acht

Eens ging de zee hier tekeer; nu is het een weids, vlak land met gemechaniseerde landbouw.

en Opbouw, onder wie Aldo van Eijck, Gerrit Rietveld en Mien Ruys. De huizen hebben allemaal een plat dak.

Het weidse, vlakke land is dunbevolkt. Wie ervan overtuigd is dat Nederland 'vol' is, zou hier eens een kijkje moeten komen nemen. Toen de polder werd gekoloniseerd, moesten de eerste pioniers een strenge selectie door het Rijk ondergaan. Er werd gekeken naar iemands properheid, of men getrouwd was en of de kandidaten in de oorlog wel 'goed' waren geweest. Was men geschikt verklaard, dan kreeg men een kaal

stuk land in erfpacht aangeboden om er te komen boeren.

❝We woonden bij de Ketelhaven, aan het water in een mooie hoek van de dijk, vertelt zo'n pionier. Wat ik in het begin het ergst vond, was niet die kale vlakte, maar de mist. Alles was doodstil en dan hoorde je alleen de misthoorn, heel eng. Verder vond ik het daar heerlijk. We bouwden iets op, heel fascinerend. We verbouwden aardappels, graan en bieten. Je kreeg kennissen uit alle delen van het land, want de boerengezinnen kwamen uit Zeeland, Brabant, Groningen, noem maar op. Het was net emigreren, maar dan in eigen land.❞

De nostalgie van de Zuiderzee wordt uitgedrukt in het lied de Zuiderzeeballade, gezongen door Sylvain Poons en Oetze Verschoor:

Eens ging de zee hier tekeer,
maar die tijd komt niet weer,
't water ligt nu achter de dijk.
Waar eens de golven het land bedolven,
golft nu een halmenzee, de oogst is rijp.

Het Monument Noordoostpolder van Frank Bolink en Gerard Koopman bij de Ketelbrug.

Voor de **Ketelbrug** staat langs de weg het **Monument Noordoostpolder**: een soort stenen Hans en Grietje-huisje dat je, als je er snel voorbijrijdt, waarschijnlijk niet meteen als kunstwerk zult ervaren. Maar als je het beter bekijkt zul je zien dat het wel degelijk een kunstwerk is. Het werk van Frank Bolink en Gerard Koopman stelt een huis voor waar uit de schoorsteen een rookpluim in de vorm van een golf komt. Die golf is op NAP-niveau, dat wil zeggen ongeveer vijf meter boven het maaiveld.

Na de brug kom je in de **Flevopolder** en langs ➤ **Lelystad**.

Ook de Flevopolder ligt beneden zeeniveau. Wil je met je kop boven het maaiveld uitsteken,

Windturbines langs de A6 en de IJsselmeerdijk. Een imposant schouwspel, waarbij moderne molens samenkomen met oud-Hollandse luchten.

ga dan naar **Walibi World** (voorheen attractiepark Six Flags Holland, Spijkweg 30 in Biddinghuizen). Maar dan moet je geen last hebben van hoogtevrees: de Goliath-achtbaan draait maar liefst 46 meter hoog boven de polder.

VAN LELYSTAD NAAR ENKHUIZEN

Bij de **Houtribsluizen** begint de Houtrib- of Markerwaarddijk (de provinciale weg N302). Aan het begin maakt de dijk een bocht naar rechts en dat geeft bij goed weer zo dicht bij de kust mooi uitzicht op de (zeil)boten. De naam 'dijk' is indertijd voorbarig gekozen, want de Markerwaard is volgens plannen niet ingepolderd, maar bleef open zodat, evenals de Afsluitdijk, de dijk eigenlijk *dam* moet heten. Hoe dan ook, de 30 km lange dijk scheidt vanaf Lelystad gezien het Mar-

kermeer (links) van het IJsselmeer (rechts).
Het is een drukke eenbaansweg
– als hij tenminste niet wegens
zware storm is gesloten – waar je
bepaald niet op je gemakje overheen kunt toeren; je wordt dan
onmiddellijk door bumperklevers
opgejut om op je gaspedaal te
trappen. Er loopt overigens ook
een fietspad langs de dijk.
Halverwege is er een rustpunt, bij
'het Monument': een onooglijk uit
brokken steen opgebouwd
kunstwerk. Vroeger was hier een
werkhaventje, de Trintelhaven,
nu wordt het gebruikt als vluchthaventje. In het paviljoen 'Check
Point Charlie', kun je terecht voor
een Hollandse pot.
Voordat de Houtribdijk de vaste
wal van Enkhuizen bereikt heb je

bij het Krabbersgat een *naviduct*:
een 120 meter lang complex dat
tegelijkertijd sluis en aquaduct is.
De autoweg wordt onder de sluis
door geleid. Door het uitgraven
van de twee sluiskolken kwam
slib vrij dat als een wal langs de
dijk aan de Markermeerzijde
werd opgeworpen en waarop de
natuur zich vrij kon ontwikkelen.
Er zitten altijd veel watervogels;
de wal beschut ook de van en
naar het IJsselmeer gaande
schepen tegen de wind.

Onder: Ondanks de
klimaatsverandering zijn er nog
winterse dagen waarop er sneeuw ligt
en de zwanen in het open water naar
voedsel zoeken.
Rechterpagina: Het Gooimeer vanaf
Almere.

VAN LELYSTAD NAAR ALMERE EN AMSTERDAM

De A6 loopt langs Lelystad door de polder naar Almere en verder naar Amsterdam; zijn er geen files, dan is dit met de auto de snelste en kortste weg. Je kunt met de auto ook langs het **Markermeer** en de **Oostvaardersplassen**, dat is een veel leukere route.

De weg op de dijk langs het Markermeer loopt zo'n twintig kilometer langs de Oostvaardersplassen. Op de dijk staan altijd vogelaars met verrekijkers en fototoestellen met telelenzen de vele vogelsoorten te observeren. De zeldzame soorten, zoals lepelaars, ooievaars en roerdompen, zijn erg in trek. Maar ze azen toch vooral op het koppel zeearenden dat onlangs in dit gebied is neergestreken. Deze grootste roofvogel van Europa heeft een vleugelspanwijdte van wel twee meter. Het paar jaagt op vissen en vogels en in de winter op kadavers van edelherten.

Het gebied is grotendeels voor het publiek afgesloten; in het Bezoekerscentrum Oostvaardersplassen, Kitsweg 1 (bij Knardijk/spoorviaduct) meer info en van daaruit is een wandelroute van 5 km uitgezet.

Voor wie met het openbaar vervoer wil is de trein vanaf Lelystad, eindstation van de Flevolijn, naar Weesp een aangename manier van reizen. De spoorlijn loopt oostelijk langs de Oostvaardersplassen en vanuit de

trein heb je een prachtig over-
zicht van de populatie die zich
daar bevindt. Je ziet er Heckrunderen, konikpaarden, edelherten
en reeën. Natuurlijk kun je ze
(vooral de vogels) beter wandelend door het gebied bekijken,
maar dit stukje met de trein is
een on-Hollandse safari-ervaring.
Onderweg van Lelystad naar de
randstad kom je langs of door
Almere. Vanaf het havenhoofd in
Almere-Haven kijk je over het
Gooimeer richting ➤ **Huizen**. De
Aqualiner (Almere–Huizen v.v.)
vaart niet in de herfst en de winter. In die periode is er in Almere
niet veel te beleven. Een poster
op de deur van het VVV-kantoortje aan de haven heet u welkom,
maar het kantoor is sinds oktober 2005 gesloten...

We gokken dat het vandaag voor Fair
Play geen topdag zal worden, ook de
botter ligt verlaten in de haven.

In de haven dobbert *'t Panne-
koekschip* dat evenals de restaurants aan de havenkom overdag
geen klanten trekt. Overal wap-
peren vlaggen van Fair Play
(Sluiskade 32): 'Las Vegas is
dichterbij dan u denkt,' wordt
erop beweerd. Maar het blijkt niet
erg aanlokkelijk te zijn om te
midden van namaakbeelden van
het Forum Romanum op fruitau-
tomaten te spelen. Binnen zit
geen kip en buiten wachten
alleen meeuwen op brood. Dat
brood wordt door de Almeerders
in het winkelcentrum met zijn
voorspelbare aanbod van groot-
winkelbedrijven gekocht. Rem

Koolhaas en andere befaamde architecten hebben de nieuwe stad van gebouwen voorzien. Mooie woningen staan in de Filmwijk, maar Las Vegas is ver te zoeken; Almere is vooral een woon- en slaapstad.
Er is en wordt veel gebouwd in Almere, maar een stad begint pas te leven wanneer hij 'een geschiedenis' heeft en Almere moet het van de toekomst hebben...

Taalkundigen verklaren dat de naam 'Almere' komt van het Germaanse woord groot meer. In een kroniek over de Engelse missionaris Bonifatius wordt geschreven dat hij in 753 het 'Aelmere' oversteekt op weg naar het land van de Friezen. De naam Flevo heeft een nog oudere oorsprong. De Romeinse geschiedschrijver Pomponius schrijft in het jaar 44 over het Mare Flevum. Aelmere raakt in de 14de eeuw in onbruik en maakt plaats voor de benaming Zuiderzee.
De resten van de geschiedenis liggen voornamelijk in de bodem. Honderden scheepswrakken kwamen toen de polder in 1968 droog kwam te liggen, boven water. Maar een scheepswrak dat op het droge ligt, vergaat snel. Een wrak blijft het beste bewaard door het nat te houden, bijvoorbeeld door het onder de grond-

waterspiegel te brengen. De vijftien scheepswrakken die bij Almere werden aangetroffen zijn 'ingekuild'. Bij de manege in Almere-Haven en langs de Oostvaardersdijk zijn ze te herkennen aan een heuveltje in het landschap.

Vanuit zuidelijk Lelystad kun je met de fiets en te voet om de Oostvaardersplassen heen naar de Hollandse Brug over het Gooimeer (links) en het IJmeer (rechts) naar **Muiderberg**. Dat is een afstand van zo'n 37 km.
Op de Zuiderzeedijk van Muiderberg is het goed toeven en beneden ligt een strandje.
Muiderberg is een brinkdorp; bij de ingang van het Echobos ligt de Graaf Floris V-steen die aangeeft waar Floris in 1296 werd vermoord. Vroeger deed de Gooise tram Muiderberg aan; op de hoek van het Rechthuis was de halte van de 'Gooise Moordenaar', zoals de tram in de volksmond heette. Op de kruin van de dijk kun je over het Zuiderzeepad naar ➤ **Muiden**, zie pagina 186, en verder naar **Diemen** wandelen.
De fietsroute en de alternatieve autoroute naar Muiden (ongeveer 5 km) is de Gooiweg. Aan het begin bevindt zich de indrukwekkende en grootste Nederlandsjoodse begraafplaats. De dodenakker bestaat uit meer dan 6000

zerken. Leden van de Hoogduitse joodse gemeente kochten de grond in 1642; later verwierf de Pools-joodse gemeente een stuk land ernaast. Na de vereniging van beide gemeenten, werden ook de begraafplaatsen samengevoegd.

Vroeger werden de doden per trekschuit naar hier vervoerd. De trekschuit uit Amsterdam deed er zo'n drie uur over en tot 1721 moesten joden tol betalen aan alle kerken die men passeerde. De trekschuit ging van Diemen naar Muiden, nam daar de Naardertrekvaart om voorbij de **Hakkelaarsbrug** ten slotte de aanlegsteiger voor de begraafplaats aan de Googweg te bereiken. Een Amsterdams joods gezegde om aan te geven dat iemand ernstig ziek was, luidde: 'Die is al bij de Hakkelaarsbrug'. Bij die befaamde Hakkelaarsbrug is het geraas van de A6 en de A1 niet van de lucht. Je kunt rechts de Zuidpolderweg nemen om binnendoor langs de Naardertrekvaart naar Muiden te komen. Bij de sluis en de brug over de Vecht volg je de Maxisweg richting Diemen. Bij de Maxis loopt de smalle Diemerpolderweg langs de drukke rijksweg A1 over het Amsterdam-Rijnkanaal. Een vervelend stuk voor wandelaars en fietsers, want de weg langs de A1 is smal. Je kunt ook rechts achterom de Maxis, langs de Nuon-centrale, Hemweg, naar

De joodse begraafplaats van Muiderberg.

Amsterdam-IJburg komen. Of neem de linkerkant van het pad langs het Amsterdam-Rijnkanaal naar **Diemen**.

Wil je de route met de bus afleggen, stap dan hier op, want pas in Diemen is er weer een bushalte van lijn 157–158 naar het Amstelstation, metrostation Bijlmer ArenA en tram 9 naar Amsterdam. Bovendien is na de brug de weg langs de Diemerpolder een saai recht stuk.

In Diemen wordt het weer prettig wanneer je het wandel- en fietspad op de Diemerzeedijk langs het Amsterdam-Rijnkanaal kiest. Bij het oude veerponthuis, Weste-

Pal naast de gemeentegrens tussen Diemen en Amsterdam is de Nescio-oftewel de Palingbrug.

lijke Merwedekanaalweg 553 (vroeger werd het kanaal het Merwedekanaal genoemd), ben je op Amsterdams grondgebied; de grenspaal voor het huis markeert de juiste grens.

Door de bomen langs de dijk gloort de **Nesciobrug**. Deze brug overspant als een slang tien meter hoog het Amsterdam-Rijnkanaal. De fiets- en voetgangersbrug van Jim Eyre uit 2006 is eigenlijk een prachtig kunstwerk. Het ontwerp van de brug werd vanwege zijn 'elegante' vorm bekroond met de Staalprijs. De gebogen hang-tuibrug is 780 meter lang en is daarmee de langste voetgangers- en fietsersbrug van Nederland.

De gemeente Diemen weigerde grond ter beschikking te stellen

met als argument dat de brug
veel fietsers en wandelaars zou
aantrekken. Een nogal wonder-
lijk standpunt: het autoverkeer
dat pas echt overlast veroorzaakt
raast ongemoeid over de Zeebur-
gerbrug! Na enig meetwerk kon
Amsterdam de brug net op haar
grondgebied laten aanleggen.
De brug is vernoemd naar de
Amsterdamse schrijver Nescio
(1882–1961) omdat hij met zijn
vrienden lange wandelingen op
de Diemerzeedijk maakte, maar
in de volksmond wordt de brug
wegens zijn vorm de 'Palingbrug'
genoemd.
Ook al hebben de bestuurders
van Diemen weinig op met de
Nesciobrug, veel Nederlandse en
buitenlandse architecten en
kunstliefhebbers komen de brug
bewonderen. Alleen, de weg
ernaartoe is niet aangegeven. Wil

IJburg kent twee schitterende
bruggen: de Nesciobrug (*boven*) en de
Enneüs Heermabrug (*rechterpagina*).

je vanuit Amsterdam naar de
brug, neem dan vanuit Amsterdam CS tramlijn 26 richting
IJburg. Na de **Enneüs Heermabrug** stap je uit op de eerste halte
(Steigereiland). Ga rechts de Jan
Olphert Vaillantlaan (hij staat
bekend als 'kundige' kapitein-
ter-zee, 1751–1800) in; na de
loopbrug kom je op de Diemerzeedijk. Sla linksaf, op het pad
rennen veel hijgende joggers die
hun zitvlees eraf proberen te rennen. Na wat volkstuintjes zie je
rechts de Nesciobrug.

IJBURG

De aanleg van het wooneiland
IJburg was in eerste instantie ook

al omstreden. Tegenstanders vonden dat de natuur in het IJmeer zou worden aangetast. Er werd in 1997 een correctief referendum gehouden: 60% stemde tegen, maar de opkomst was te gering om de bouw niet door te laten gaan. Nu zijn de meeste tegenstemmers, gezien de toevloed naar het strandje van **Blijburg**, omgeturnd. En liefhebbers van foto's en films doet het deugt dat een aantal punten in de stad naar fotografen en cineasten is vernoemd. Zo komt er het Theo van Goghpark, is er al de Cas Oorthuyskade, het Joris Ivensplein, de Eva Besnyöstraat en het Sem Presserhof aan de Pampuslaan.

Wanneer in 2012 op het uit zeven eilanden bestaande IJburg 18.000 woningen zijn opgeleverd, zal bijna iedereen blij met IJburg zijn...

Bustochtjes

VAN AMSTERDAM NAAR HOORN

Bus 114 vertrekt vanaf het Centraal Station in Amsterdam. Er is meteen al veel te zien: Links is het **Oosterdok** met aan de kade een botel en het Chinese restaurant 'Sea Palace'. Daarachter de spoorwegen en aan het IJ de nieuwe bouwwerken zoals het theater **Muziekgebouw aan 't IJ** en de **Passagiers Terminal Amsterdam**.
Rechts, op de hoek van de Prins Hendrikkade, staat het **Scheep-**vaarthuis, een gebouw in jugendstil dat wordt verbouwd tot Grand hotel 'Amarath'. Op nummer 131 is een gedenksteen van admiraal Michiel de Ruyter te zien. Hij woonde hier

Linksonder: Bijna niemand weet dat Michiel de Ruyter op de Prins Hendrikkade 131 heeft gewoond. Rechtsonder: De Montelbaans (verdedigings)toren die na de aanval van de Geldersen in 1512 werd opgericht.
Rechterpagina: Het Scheepvaartmuseum (boven) en het West-Indisch Pakhuis.

in 1655 met zijn gezin. Dan kom je voorbij de Oude Schans met rechts de **Montelbaans-toren** en over de brug het gebouw uit 1642 van de West-Indische Compagnie. De smalle

Peperstraat daarna herinnert aan de specerijen die hier in de pakhuizen werden opgeslagen. Voor de bus de IJtunnel inrijdt, kun je een glimp opvangen van het **Scheepvaartmuseum**. Het

voormalige pakhuis van de marine is sedert begin 2007 gesloten om een grootscheepse, tweeënhalf jaar durende restauratie te ondergaan. Het **VOC-schip Amsterdam**, een kopie van het oorspronkelijke, ligt aan de kade aangemeerd en is te bezichtigen. Ook aan de kade waar het groene **Nemo Museum** als de boeg van een schip uit het water steekt, ligt een reeks oude schuiten, zoals botters, jollen, klippers en tjalken. Ze zijn gebouwd aan het begin van de 20ste eeuw en bevoeren de Zuiderzee. De verzameling schepen is eigendom van de Vereniging Museumhaven Amsterdam. Het is aardig om hier eens rond te wandelen. Het Nemo Museum is ontworpen door architect

Bij het Nemo Museum hangt de was uit van de aldaar aangemeerde schippers.

Renzo Piano; vanaf het dak heb je een mooi panorama over de stad. Het museum is een centrum voor wetenschap en technologie, vooral leuk voor kinderen.
De bus rijdt onder de fundamenten van het Nemo de IJtunnel in en komt weer boven water in Amsterdam-Noord. Binnen een kwartier bereik je het landelijke →**Broek in Waterland**.
De volgende stop is → **Monnickendam**, daar kun je overstappen naar → **Marken**. (Je kunt ook rechtstreeks vanaf Amsterdam CS met lijn 111 naar het voormalige eiland.)
Onze bus – lijn 114 – rijdt door

naar het busstation van ➤ **Edam**, op 22 km vanaf het beginpunt. ➤ **Volendam** ligt op 3 km van Edam. Vroeger was er een trekschuit tussen de twee stadjes die er zo'n drie kwartier over deed, nu ben je er met de bus in no time. Vanaf Amsterdam CS rijden ook rechtstreeks bussen naar het vissersplaatsje, maar die nemen wel een omweg. Bus 114 rijdt na Edam te hebben aangedaan verder naar ➤ **Hoorn**. Rechts van ons zien we de polder **De Zeevang**, die door ruilverkaveling in rechte percelen met sloten is opgedeeld. In de verte, aan de dijk van het Markermeer, ligt **Warder**. De toppen van zeilboten steken boven de dijk uit. Bij **Oosthuizen** kruist de spoor-

verbinding van en naar Hoorn de weg (N247) en iets verderop zijn links van de A7 in het voorjaar bloeiende bloembollenvelden te zien. Dan slaat de bus rechtsaf naar **Scharwoude**. Had je in de middeleeuwen in Hoorn iets misdaan waarvoor je tot de galg was veroordeeld, dan was je laatste tocht hierheen: op de **Galgenbocht** werd het vonnis voltrokken. In Scharwoude neemt de bus een bocht, volgt eventjes de dijkroute en rijdt dan de molenwijk in, een nieuwbouwwijk. De bus slingert door de wijk waarvan alle straten naar molens zijn genoemd, maar een echte molen is er niet te bekennen. Midden op een rotonde staat een foeilelijk verroest ijzeren 'kunstwerk' dat het vermoeden bij je oproept dat de kunstenaar zijn ontwerp op de achterkant van een bierviltje heeft geschetst. Ten slotte komen we – na elf strippen vanaf Amsterdam – bij het busstation en voor het NS-station van **Hoorn**.

Het is raar dat er voor OV-studenten, kaarthouders en 65-plussers geen strippenkaarten bestaan met meer dan 15 strippen. Maak je een reisje met de bus buiten de stad, dan kom je als gebruiker van de roze kaart al gauw strippen te kort. Bovendien is het vreemd dat je aan het loket van de spoorwegen geen strippenkaarten kunt kopen, daarvoor moet je naar de AKO en dat noemen ze in Amsterdam 'achenebbisj'! Het is te hopen dat de OV-chipkaart die over enige

tijd wordt ingevoerd inderdaad het ideale vervoerbewijs zal blijken te zijn waarvoor hij wordt aangeprezen.

VAN HOORN NAAR MEDEMBLIK

Er rijdt geen bus van Hoorn naar Enkhuizen, maar je kunt wel met de trein.
Van Enkhuizen naar ➤ **Medemblik** kun je ook niet met de bus. Wel met de boot (zie 'Boottochtjes', pagina 63).
Er is wel een rechtstreekse bus van Hoorn naar Medemblik (lijn 39); die slaat Enkhuizen over en

Op de Durgerdammerdijk wringt bus 30 zich een weg langs de Kapel.
Rechterpagina: Het kerkje van Holysloot.

doet onderweg alleen **Opper-does** aan. De bus gaat gedeelte-lijk over de A7 en doet over de 18 km ongeveer 20 minuten. Er bestaat ook een mogelijkheid om met de stoomtram van Hoorn naar Medemblik te gaan – zie pagina 98.

VAN AMSTERDAM VIA DURGERDAM EN RANSDORP NAAR HOLYSLOOT

Ben je niet zo'n globetrotter of ben je misschien op een leeftijd dat het je te veel moeite kost om een flinke afstand fietsend of wandelend af te leggen, maar wil je toch eens een ontdekkings-tocht maken, laat je dan verras-sen en neem de bus van Amster-dam naar **Holysloot**. In de zomermaanden brengt bus 30 je voor enkele strippen vanaf het Waterlandplein in Amsterdam-Noord (ook het eindpunt van bus 33 die begint bij Amsterdam CS) via Schellingwoude, ➤ Durger-dam en ➤ Ransdorp naar Holy-sloot.

De minibus rijdt bijna stapvoets over de dijkwegen, maar op de kronkelweggetjes van Waterland zet hij de vaart erin. Dan onder-vind je dezelfde ervaring die je tijdens een bergtocht hebt, al zijn het nu niet de afgronden die je vrees inboezemen, maar het water van de slootjes dat tot aan de weg reikt. De ervaren

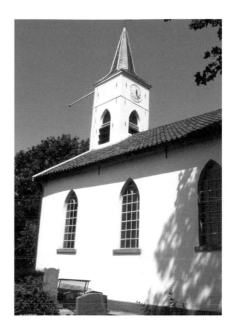

chauffeurs kennen echter het traject op hun duimpje en je hoeft er echt niet bang voor te zijn dat de bus in de plomp raakt. Vanuit de bus zie je goed het hoogteverschil tussen de weg en de lagergelegen polder. De bus zet je in Holysloot af op het pleintje voor het witte kerkje uit 1846. Rechts is de dorps-school en links loopt een doodlo-pend weggetje; aan het water staat bij een oud (zoetwater)vis-sershuisje een sprookjesachtige oude eik. Daarvoor, bij het botenverhuurbedrijf waar je op een bankje aan het water uitkijkt op de Holysloter Die, is een pon-tje voor voetgangers en fietsers. Je zult versteld staan van de lan-delijke rust, alleen de wind hoor je door de bomen ruisen. Vanuit

de verte klinkt het blaten van een schaap terwijl zwaluwen die in de botenloods hun nesten hebben, ellipsen boven je hoofd trekken. Een idyllisch plekje dat zich uitstekend leent voor mij-meringen over verleden, heden en toekomst...

De bus gaat om het uur, je kunt dus zowel op de heen- als de terugreis onderweg ergens uit-stappen om na een uurtje te hebben rondgekeken de volgen-de bus te nemen. Het verdient aanbeveling dat te doen in **Rans-dorp** (halte bij de kerk). Bij de

Aan de Holysloter Die kunnen doeners een roeibootje huren.

kerk en het raadhuis is café 'De Zwaan' (Dorpsweg70).

Het volgende dorp is **Durgerdam** (halte Muziektent), weer zo'n schilderachtig dorp. Op het ter-ras van 'De Oude Taveerne' (Durgerdammerdijk 73) heb je links het houten gebouw de Kapel en voor je kijk je uit op het IJmeer, met in de verte de witte **Enneüs Heermabrug** van het nieuwe wooneiland IJburg.

Boottochtjes

VAN ENKHUIZEN NAAR MEDEMBLIK OF OMGEKEERD

❝Wij waren met de bus van ➤ **Hoorn** rechtstreeks naar ➤ **Medemblik** gekomen en juist toen we het stadje hadden bekeken, hoorden we vanuit de haven het gefluit van de *MS Friesland*, ten teken dat het veer op punt stond naar ➤ **Enkhuizen** te vertrekken. We besluiten ter plekke dat we mee zullen varen en de bus de bus te laten.
De tocht met de *MS Friesland* duurt anderhalf uur; afvaart dagelijks in de maanden april t/m oktober.
Het veer werd in 1956 gebouwd en onderhield tot 1982 de dienst tussen Harlingen en Terschelling. Net voordat de loopplank wordt binnengehaald springen we aan dek. We kopen een enkeltje Medemblik – Enkhuizen. Als het schip zich uit de haven manoeuvreert staan twee mannen in brons naast de vuurtoren op de

De MS Friesland ligt in Medemblik gereed voor de afvaart naar Enkhuizen.

kade ons kritisch te volgen. Dit beeld, **'De beste stuurlui...'**, is een ontwerp van J. van Velzen. Op het achterdek van de *Friesland* zitten enkele Duitse toeristen in het zonnetje. Een groep bejaarden klautert één voor één en voetje voor voetje de ijzeren trap van de kombuis naar het achterdek af en zoekt een zitplaatsje. Met onverbloemd Amsterdams accent prijst een van hen de zojuist genuttigde lunch: 'We hebben gegraaid wat we maar graaien konden.' Als alle bejaarden op het dek zijn gearriveerd blijkt dat er niet genoeg vrije stoelen zijn. Dus gaan ze soebatten met de Duitsers over de stoelen die deze alleen voor hun kleding en plastic tasjes gebruiken. De Duitsers

wijzen naar een rits opeengestapelde stoelen onder de trap: 'die sind Frei.' Ten slotte pakt een struise Amsterdamse kordaat alle kleding van de stoelen en legt die op de schoot van de oosterburen. Mokkend ondergaan die hun verlies.

De veerboot maakt een ruime bocht over het IJsselmeer. In de verte doemt een torenspits op. Tante Aal uit de Jordaan weet zeker dat het de torenspits van Zandvoort is. 'Nee, tante Aal, dat is de toren van Andijk.' Het maakt Aal niet uit. De tijd dat ze op school met een aanwijsstok de plaatsen op de kaart rond de Zuiderzee moest aanwijzen, is lang geleden. Onder het uitdelen van pepermuntjes ziet ze een vissersschip dat palingfuiken ophaalt. Ze verkondigt dat je een palinkie met je handen moet eten en met een krant op schoot, dan eet je je vingers erbij op. 'En dan wegspoelen met een pikketanisje!' Ze heeft de lachers op haar hand. De Duitsers, met wie inmiddels vrede is gesloten, lachen schaapachtig mee, hoewel ze nauwelijks de helft van wat tante Aal allemaal roept begrijpen.

Achter de dijk ontdekken we het topje van de vuurtoren **'De Ven'**, die hier al sinds 1700 dienst doet als baken voor schepen op het IJsselmeer. Tante Aal en haar vriendinnen hebben andere

De kalkoven op het Zuiderzee-
buitenmuseum.

zaken aan hun hoofd: ze hebben
hinder van de vele 'vliegies op je
goeie goed'. Maar als de boot
tegen de wind draait hebben ze
daar geen last meer van.
Dan komen de drie pijpen van
de kalkoven van het Zuiderzeemuseum in Enkhuizen in zicht.
Onze reis zit er bijna op. Het
gezelschap is door de zon en de
wind rozig geworden. Tante Aal
verzucht: 'Wat zal ik vanavond
lekker slapen.'**,**

Bij het kantoor van de VVV in
Enkhuizen is informatie over de
dienstregelingen van de veerdiensten te verkrijgen en je kunt
er de tickets kopen. Bij de VVV

zijn ook de aanlegsteigers.
Tegenover de VVV is het NS-station met parkeerterrein.

MUIDEN – PAMPUS

Als je met de auto naar ➤ **Muiden** wilt neem je de A1, tot
afslag Muiderslot. Op het parkeerterrein Mariahoeveweg, bij
de bushalte, kan de auto gratis
geparkeerd worden. Ga je met
de bus, dan zijn er verschillende
mogelijkheden. Bel met Inlich-
tingen Openbaar vervoer (0900-
9292) voor informatie 'van deur
tot deur'. Wil je met de bus,
neem dan lijn 136 vanaf
Amsterdam Amstelstation; die
brengt je in een half uurtje naar
Muiden. Bij Diemen neemt de
bus de secundaire weg parallel

aan de drukke A1. Wil je van dat nerveuze gedoe naast je geen last hebben, ga dan links in de bus zitten, dan kijk je uit over een mooi natuurgebied. Daar loopt ook een deel van het Zuiderzeepad. De bus stopt net even buiten Muiden. Borden wijzen naar het **Muiderslot** en de boot naar → **Pampus**. De diensten van het Connexxion-veer worden dagelijks, behalve op maandag, van 12.30 tot 15.00 en van 14.30 tot 17.00 uur onderhouden (van 1 april tot 1 november). Je koopt je kaartje bij de schipper.

❛Bij het Muiderslot staat op het aangegeven meldpunt al een groepje mannen en vrouwen te wachten tot het personeel van het veer hen ophaalt. Later sluit zich een schoolklas bij het groepje aan. De kinderen hebben het kasteel net bezocht en willen op Pampus gaan picknicken.

We worden opgehaald en lopen gezamenlijk langs het Muiderslot naar de steiger van het veer. Het is een rank scheepje. Het duurt even voordat we vertrekken. Een meisje vraagt ongeduldig aan de schoolmeester: 'Wanneer gaan we rijden?' De meester corrigeert haar: 'Fatima, boten rijden niet, maar váren!'

De volwassenen amuseren zich op de achterplecht. Binnen elke

Strategisch aan de monding van de Vecht staat het Muiderslot en daar kun je het veer naar Pampus nemen.

groep is er altijd wel één die de leukste wil zijn en de aandacht naar zich toe trekt.

Dan worden de trossen losgegooid en vertrekken we. Als we langs de jachthaven varen, roept de meester wijzend: 'Die daar, dat is *De Groene Draak* van Hare Majesteit.' Welke Lemsteraak hij precies tussen al de jachten en zeilboten bedoelt, missen we. Beatrix, Alexander, Máxima of Mabel zijn nergens te bekennen.

Maar dan zijn we buitengaats en koersen op Pampus af, dat we voor ons op zo'n drie kilometer in de verte zien liggen. We varen tussen groene en rode tonnen die de vaargeul markeren, langs een paar eilandjes en bereiken na twintig minuten het haventje van Pampus. Daar blijkt ons dat je er ook met je eigen boot mag afmeren, maar ach, wij hebben thuis alleen een scheepje in een glazen fles...

Wanneer we de aanlegsteiger oplopen rennen de schooljongens om het hardst wie als eerste bij het antieke kanon is. De loop richt zich op de vermoede vijand op het vasteland.

De schooljeugd krijgt eerst een rondleiding over Pampus, de meegenomen mandjes met proviand moeten wachten tot later. De groep volwassenen krijgt een meer uitgebreide rondleiding. De rondleidingen worden door vrijwilligers gedaan en wij treffen het: met veel kennis van zaken spreekt onze gids over het fort en zijn geschiedenis.

Daarna kijken we op het terras voor het restaurant tevreden uit over het IJsselmeer, de schoolkinderen spelen zeerovertje tot de boot ons weer naar Muiden brengt. **9**

VAN VOLENDAM NAAR MARKEN

Het kantoortje van de *Marken Express* staat aan de kade van de haven van ➤ **Volendam**. Voor de ingang staat aangegeven wanneer de eerstvolgende boot vertrekt.

6 Als wij ons scheepje beklimmen zitten de meeste passagiers al op rijen banken achter elkaar op het dak van de kajuit. We voelen ons als bij een schoolreis-je, maar dan voor babyboomers en de generaties daarna. Men is in opperbeste stemming en iedereen praat in alle talen door elkaar. Lovend wordt over de belevenissen in Volendam gesproken en vol verwachting spreekt men over wat straks in ➤ **Marken** komen gaat.

Naast ons zit een verliefd stel uit Rotterdam, de man ziet eruit als een oude hippie en noemt de vrouw 'mijn poesje', zij draagt een feesthoed die je vaak op Koninginnedag ziet. Hij vertelt haar dat hij de reis al eens eerder met zijn 'ex' heeft gemaakt en doet daar uitgebreid verslag van.

Dagjestoeristen kijken uit naar de aankomst van de Marken Express in de haven van Marken.

Zij vindt zijn babbels kennelijk zo leuk, dat ze voortdurend in 'een deuk' ligt. Maar als de plezierboot het ruime sop kiest en hij hardop uithaalt: 'Toen wij uit Rotterdam vertrokken…', roept ze gegeneerd: 'Doe niet zo raar, gekkie.'

Voor ons zitten twee dochters met hun demente vader. Ze proberen hem een reactie te ontlokken met: 'Pa, gezellig hè, heb je het een beetje naar je zin?' Maar pa zwijgt in alle talen en kijkt glazig over het water.

Op het achterdek staat aan de reling een Nederlandse familie die de tocht met hun oom uit Australië maakt. De buitenlandse oom verkondigt met een harde afgemeten stem die geen tegenspraak duldt dat 'Holland' zo achteruitgegaan is met 'al die buitenlanders'. Ademloos hangt de familie aan zijn lippen, alleen een tienermeisje aarzelt: 'Ja, maar ome Cor, u bent…' Maar dan trekt haar vader haar weg: 'Ga jij maar een ijsje halen.'

Na een dik halfuur lopen we het haventje van Marken binnen. De Rotterdammer wijst deskundig naar een vissershuisje: 'Dat is nou het huis van Sijtje Boes.' Zijn geliefde is sprakeloos. Uit het huisje komt als het vogeltje uit een koekoeksklok een vrouw in Marker klederdracht tevoorschijn. Ze posteert zich voor het optrekje. Als we zijn aangemeerd nodigt ze ons uit om haar museumpje te bezoeken. De Rotterdammer stevent er als eerste op af met in zijn kielzog zijn

vriendin met de kingsize hoed. Wij gaan een deurtje verder een ander Marker huisje bezichtigen. Binnen zit een oude visserman omringd door allerlei Marker prullaria en naast hem binnen handbereik een schoteltje voor de fooien. De man wijst ons naar de bedstee waar vroeger een hele familie moest slapen. Pa en ma konden zo in bed kruipen, de kinderen sliepen daaronder als haringen in een ton. 's Winters was het zonder verwarming lekker warm als de deurtjes van de bedstee gesloten waren.
Een groepje als bakvissen giebelende vrouwen op leeftijd betreedt het huisje, ze verbazen zich over het kleine keukentje waar 'je je kont niet kan keren'. Als een van de vrouwen het pandje zonder te betalen wil verlaten, roept de visserman haar terug: 'Dame, vergeet u het schoteltje niet...'**9**

ENKHUIZEN – STAVOREN

6 De weerman had ons nog zo gewaarschuwd: morgen slaat het weer om en zullen hier en daar fikse regenbuien vallen. Hoe kan dat nou? Vandaag scheen de zon en was er geen wolkje aan de lucht. Gaan we morgen, of gaan we niet, dat is de vraag. We besluiten te gaan, de weerman zat er laatst ook naast en we laten ons voorgenomen reisje op

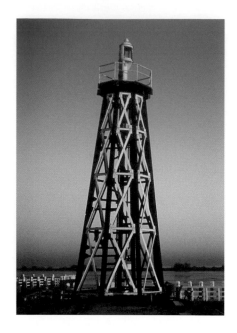

het IJsselmeer niet door die pessimistische weerman in het water vallen. 'Hier en daar regen,' dus daar en niet hier, nietwaar? We moeten wel de wekker zetten, want de vroege boot van →**Enkhuizen** naar →**Stavoren** vertrekt om kwart voor negen.

Het weer onderweg naar Enkhuizen is druilerig, maar onze stemming is opperbest. Er is niet veel verkeer op onze rijstrook van de A7, maar in de tegenovergestelde richting sukkelt een lange file richting Amsterdam. Af en toe klettert een stortbui op ons dak, maar we stellen ons met een tegeltjeswijsheid gerust: wat nu valt, valt straks niet. Spoedig bereiken we de parkeerplaats

De *Bep Glasius* bij binnenkomst in de
haven van Stavoren.

voor langparkeerders in Enkhuizen. Het kantoor van de VVV is
vanaf hier vlakbij. Gelukkig hebben we uit voorzorg een paraplu
meegenomen, want zojuist treft
ons weer een regenbui en dan
komt zo'n ding evengoed van
pas. Nadat we de veerkaarten
hebben gekocht lopen we over
de kade naar de aanlegsteiger
van de salonboot *Bep Glasius*.
Een klas zingende kinderen laten
we voorgaan, zij hebben een
eigen ruimte op het benedendek.
Als we zoekend naar de kombuis
over het dek glibberen worden
met touwen drie sportfietsen
door een matroos aan de reling
gesjord. De eigenaars van de

fietsen, mannen van middelbare
leeftijd, zitten al aan de koffie in
de salon op het bovendek. Een
van hen heeft een pijpje opge-
stoken, een geur van herenbaai
omringd hem en dat doet ons
denken aan gezelligheid van
vroeger, toen pijprokers als kapitein Rob nog werden gezien als
rustgevende mannen en menig
tegeltje verkondigde dat 'een
tevreden roker' geen onruststo-
ker is. Roken aan boord is dus
toegestaan; meegenomen etenswaren nuttigen niet – maar dat
waren we ook niet van plan. De
mannen maken een fietstocht
door Nederland. Vanuit Stavoren
willen ze verder fietsen naar Giethoorn.
We lopen naar de bar met uitzicht op de voorplecht. Op de

vraag of de steward uit Stavoren komt, zegt hij vol afgrijzen dat hij daar 'gelukkig' niet vandaan komt. Maar een jongeman, met ons de enige passagier aan de bar, heeft een andere mening. Hij komt uit Enkhuizen en vindt het daar maar niks. Hij wil veeboer worden en loopt stage op een boerderij bij Hindeloopen. De twee komen er voorlopig niet uit waar je het beste je leven kunt slijten: in het saaie Friesland, of in het verderfelijke Enkhuizen. *Bep Glasius* maakt stampende geluiden en vertrekt voor de zoveelste overtocht naar de overkant. We zoeken buiten op

Jongeren op weg langs de Spoorhaven om zich voor een zeilweek in te schepen.

het dek een tegen wind en regen beschut plekje om naar de steeds kleiner wordende haven en het silhouet van Enkhuizen te turen. Wanneer door de regenvlagen slechts een grijs streepje in de verte zichtbaar blijft en staren 'ins blauwe hinein' weinig bevrediging geeft, zoeken we de salon weer op. Daar is een monitor waarop je via de satelliet kunt zien hoe een stip op de zeekaart zich langzaam van Enkhuizen naar Stavoren beweegt. Met een snelheid van achttien kilometer per uur, bereiken we na tachtig minuten de haven van het voormalige Zuiderzeestadje.

De schoolklas stapt onder het zingen van: 'We zijn er bijna, maar nog niet héle-máál...', de bus in die hen naar de jeugdherberg in Gaasterland zal brengen, de jonge boer wordt met een terreinwagen opgehaald en de drie fietsers rijden achter elkaar de Stationsweg in. Ze zijn gehuld in plastic regencapes en dragen een zuidwester; onder een van de kappen steekt een pijpenkop uit.

We snellen door de regen naar hotel-restaurant 'De Vrouwe van Stavoren' waar we in de serre het beeldje van **Het Vrouwtje van Stavoren**, dat we eerst over het hoofd hadden gezien, ontdekken. We hadden haar robuuster ingeschat: het donkere beeldje is slechts 1,10 m hoog. Het vrouwtje tuurt over de **Oude Haven** waar de bemanningen van zeiljachten zich op deze maandagochtend gereedmaken voor een zeilweek. Een groepje jonge mensen loopt mistroostig met tassen chips en kratjes pils van de plaatselijke supermarkt richting haven om zich in te schepen. Hadden we maar naar de weerman geluisterd. Maar ja, zeggen ze hier: Achter af kijkje de koe in de kont.**❜**

STAVOREN – ENKHUIZEN

❛ Niets is zo veranderlijk als het weer; een week na ons tochtje van **Enkhuizen** naar **Stavoren** breekt de zon door. De overheid waarschuwt ons dat we zware inspanningen moeten vermijden en dat we veel moeten drinken. Dat gaat er bij ons in als gods woord in een ouderling. Boven het strand van de Noordzee hangt niet alleen smog, maar ook transpiratiewalm. Na één dag hitte klagen de spoorwegen dat de spoorstaven plotseling als 'kattenruggen' kunnen uitzetten en dat treinen daardoor kunnen ontsporen. We nemen toch de gok en nemen de trein in Leeuwarden om naar Stavoren te boemelen. Aldaar zijn we van plan om met het veer het IJsselmeer over te steken en van de zonnige kant de tocht Stavoren–Enkhuizen te bekijken.

Op het havenhoofd van Stavoren staat een (semi) vuurtoren en in de Oude Haven houdt het vrouwtje de wacht.

Voor aankomst in Enkhuizen vaart het
veer langs de jachthaven.

Het NS-station van Stavoren ligt
op enkele passen van de Spoorhaven. Waar eens spoorwagons
op de veerboot werden gereden
om over de Zuiderzee gezet te
worden, ligt nu een aantal zeiljachten aangemeerd. Aan dek
van de *Bonte Koe* is de bemanning druk bezig zakken afval te
verzamelen dat na een weekje
zeilen aan boord is achtergela-
ten. De klipper *Hoop geleid ons*
stoomt zojuist de haven binnen,
aan dek bekijken de passagiers
hoe de stuurman het schip tussen de klipper *de Eenhoorn* en
de tjalk *Vrouwezand* naar een
plek aan de kade manoeuvreert.
In de **Oude Haven** wachten klei-

nere plezierjachten tot de havenmeester de sluisdeuren van de
Johan Frisosluis opendraait,
zodat ze door de Binnenhaven
naar de Friese meren kunnen
varen. Het Vrouwtje van Stavoren houdt voortdurend een oogje
in het zeil.
Voor het kantoor van de VVV en
bij de ponton van het veer staan
groepjes toeristen op de *Bep Glasius* te wachten. Voor de mees-
ten zit de vakantie erop.
Precies op tijd komt de salonboot de haven binnen en als de
passagiers aan boord zijn en een
plaatsje hebben gevonden, vertrekken we naar Enkhuizen.
Sinds 1886 wordt de lijndienst
onderhouden. Vroeger gebeurde
dat door grote stoomschepen, na
de voltooiing van de **Afsluitdijk**

in 1932 verloor de dienst zijn nut
en nu is het veer meer een toeristische attractie.
Routineus laveert de kapitein de
haven uit. Niet zo verwonderlijk
dat hij dat vaardig doet, want dit
kunstje doet hij zo'n duizend
keer per jaar. En hij heeft er blijkbaar nog steeds plezier in: door
de geopende ramen van de
stuurhut horen we zijn sonore
stemgeluid en de lach die erop
volgt van de bezoekers in zijn
domein.
Naast ons op de voorplecht zit
een jong stel dat elkaar de afgelopen week tijdens het Oerol-fes-
tival op Terschelling heeft leren
kennen. Gezien hun hartstochte-
lijk tongzoenen ziet het er voor-
alsnog naar uit dat deze vakan-
tieliefde zal beklijven. Twee
bejaarde dames kijken gefixeerd
naar het gelukkige stel en spre-
ken er schande van.
Wij ervaren nu wat we de vorige
reis van de vaarroute hebben
gemist: achter ons zien we de
kust van **Gaasterland**, links aan
de horizon windturbines ten
noorden van Urk en voor ons in
de verte de haven van Enkhuizen. Talrijke zeilschepen kruisen
met volle zeilen ons vaarwater.
Wanneer we uiteindelijk het

Bij gunstig weer zijn er op het
IJsselmeer altijd binnenschepen en
zeiljachten.

Krabbegat indraaien en we daarna langs de buitenhaven van
Enkhuizen varen, schalt vanuit
een café *You'll never walk alone*.
Nadat we zijn afgemeerd maakt
het Oerol-stel zich van elkaar los
en stapt op hun fietsen. Als we
op de kade de twee dames passeren, horen we de één tegen de
ander zeggen: 'Tegenwoordig is
het allemaal één Sodom en
amora...' Zo hoor je nog eens
wat in de wandelgangen. **,**

Op de fiets of te voet door het Waterland

WATERLAND

Een ideale streek om zowel te voet als per fiets te verkennen is het Waterland, het poldergebied dat zich globaal uitstrekt tussen Amsterdam-Noord, Monnickendam en het IJmeer. Om er vanuit Amsterdam te komen neem je de Tolhuispont over het IJ of de Schellingwouderbruggen. Het Waterland wordt weleens de achtertuin van Amsterdam genoemd. Wel een riante tuin, waar je van een overdadige landelijke rust kunt genieten. Zo'n duizend jaar geleden strekte Waterland zich tien kilometer verder oostwaarts uit dan nu. In dat hoogveengebied stroomden riviertjes, Aeën of Dieën genoemd, die het water afvoerden. Na de 11de eeuw werd vanuit de riviertjes land ontgonnen, maar door inklinking (indroging waardoor de bodem zakt) kwam het land steeds lager te liggen, met als gevolg dat bij elke stormvloed stukken land werden weggeslagen. De riviertjes wer-

Waterlandse biologische koeien spiegelen zich: wie is de mooiste van het land?

den afgedamd en op de drooggevallen delen kwamen neder-
zettingen die uitgroeiden tot welvarende handels- of
vissersplaatsen, zoals Amsterdam, ➤ Edam, ➤ Volendam en
➤ Monnickendam. Het laaggele-
gen drassige en zoutige land was
alleen voor grasland geschikt,
waardoor na de uiteindelijke voltooiing van de Waterlandse
Omringdijk, Waterland een wei-
degebied werd waar veeteelt een
belangrijke bron van inkomsten
is.

VAN AMSTERDAM NAAR ZUNDERDORP, RANSDORP EN DURGERDAM

Zunderdorp ligt op slechts één
kilometer van Amsterdam-
Noord en is met bus 33 vanaf
Amsterdam CS te bereiken. De
ANWB en de VVV hebben verschillende routes uitgezet die ➤
met gekleurde stickers zijn
gemarkeerd.
Zin in een glas biologische melk?
staat op een bord langs de weg
bij Zunderdorp. Dat kun je niet
afslaan. De boerderij beschikt
over een melktap die je voor
twintige eurocent een gekoeld
glaasje melk levert van de koei-
en die buiten in de wei staan te
grazen. Eieren zijn er ook te
koop – je stopt het geld maar in
een busje. De boer is al jaren
geleden overgegaan op biolo-
gisch boeren. Hij had geen lol
meer in zijn vak: de meeste tijd
was hij aan het rekenen hoe hij
een paar centen op het voer kon
besparen. 'Waar doe je het dan
nog voor?' Hij begon ook een

zorgboerderij: mensen die gehandicapt of geestelijk in de war zijn hebben er onderdak en helpen mee in het bedrijf. Daar knapt een mens van op.

BROEK IN WATERLAND, ZUIDERWOUDE EN TERUG.

In ➤ **Broek in Waterland**-Noord kun je fietsen huren, dus wandelaars die er geen zin meer in hebben kunnen hier overstappen op een rijwiel... Alleen op zondag zijn de verhuurders niet altijd aanwezig. Door het tunneltje onder de N247 kom je in Broek-Zuid. Naast de bushalte staat een bord waarop vier uitgezette wandelroutes staan aangegeven. Steek de witte ophaalbrug over de Broekervaart over, je komt

Komend uit het Zuideinde van Broek in Waterland-zuid kijk je tegen de bolle brug over het Watergouw aan.

dan op de Eilandweg, en loop rechtdoor het Zuideinde in. Hier staan typische houten Broeker huizen, geschilderd in pasteltinten. Links van je passeer je een buurtsuper. Bij de T-splitsing zie je rechts een houten, bol bruggetje; een richtingaanwijzer geeft aan dat het vanaf hier vier kilometer naar Zunderdorp en zes kilometer naar Amsterdam is. Sla links af de Molengouw in. Een straatje met woonhuizen met op het eind een uithangbord van een schaatsenslijper. Dan sta je meteen al in de polder. Links achter een slootje staat een schaapskooi. Afhankelijk van het seizoen wordt menig weiland bewoond door een zwanenfamilie. Koeien en schapen zijn beducht voor ze, want als ze te dicht bij de zwanen komen, verdedigen die hun jongen door hun belagers met hun vleugels een zwieper te geven. Kinderen die 'eendjes voeren' moeten ook voor ze oppassen.

Rechts van de Burgemeester Peereboomweg is nog bebouwing, onder andere van kano- en kajakverhuur 'De Paashaas'. Na het laatste huis van Broek is er voor fietsers een apart fietspad. En dat is wel zo prettig, want de smalle geasfalteerde weg met in

In Zuiderwoude kun je een bootje huren om daarmee op het Kerk Ae te varen.

de berm knotwilgen is dan wel een mooi plaatje, maar het verkeer raast pal naast je voorbij. Rechts is een veengebied dat behoort tot het natuurgebied Waterland-Oost. Na een gemaal en (links) een vogelkijkhut in de Ooster Ae, kijk je rechtuit over Het Kerk Ae (Ae betekent water). De meren zijn eeuwen geleden ontstaan na overstroming van de Zuiderzee.

Dan beland je in het oudste dorp van Waterland: **Zuiderwoude**. Het dorp was eens omringd met moerasbossen die hier rond het jaar 1000 langs de oude stroomgeulen van de veenriviertjes hebben gestaan. Na de ontginning van het gebied ontstond een open veenweidenlandschap. Zuiderwoude was in de 16de

eeuw tweemaal zo groot als nu, met industriemolens en scheepvaartverkeer, maar na de opkomst van Amsterdam en het uitbreken van de veepest in de 18de eeuw kwam de klad erin. Nu is het een rustiek dorpje. Voor het kerkplein staan aan het meer een paar bankjes waar je in de schaduw van hoge bomen wat kunt uitrusten en starend naar de bootjes op het meer kunt wegdromen.

Aan de overkant van Het Kerk Ae zie je boven de dijk de toppen van stolpboerderijen uitsteken en als je goed kijkt zie je op de dijk de romp van een molen zonder wieken staan. Zuiderwoude ligt op een viersprong, een van de wegen is onderdeel van de Zuiderzeeroute.

Talrijke fiets- en loopbruggetjes kom je in het waterrijke Waterland tegen.

Als je de Dorpsstraat ingaat en langs het Dorpshuis loopt, kun je op een gegeven moment rechts over de brug van de Aandammergouw. Maar je kunt ook de Dorpsstraat uitlopen, daar is ''t Einde', een theetuin. Vandaar kun je verder naar → Marken (5 km) en Uitdam (3 km).

Is je dat allemaal te ver, ga dan terug naar de witte ophaalbrug die je gepasseerd bent, richting Amsterdam (7 km). Je komt in de polder **Belmermeer**, die in de 17de eeuw is drooggelegd. Hier heb je een andere kijk op Het Kerk Ae, de stolpboerderijen en de romp van de molen die in Zuiderwoude in de verte te zien waren. Vroeger stonden naast de gehavende molen op de dijk nog twee molens. Door blikseminslag zijn die twee afgebrand. Nu doet het woonhuis van de gekorte molen dienst als gemaal dat het overtollige water uit de polder afvoert. En dat is wel nodig, want het water staat bijna tot aan de kruin van de dijk; het land ligt wel vijf meter lager. Eigenlijk is de Belmermeer een stukje polder in de polder. Een boer noemt het een 'dras plas'. De laatste grote dijkdoorbraak was in 1916: toen liep de hele polder onder. Het is een heerlijk plekje. Als je richting Amsterdam kijkt, zie je aan de einder vaag de contouren van de Rembrandttoren, maar met de rug ernaartoe zie je geen

'horizonvervuiling' van een of andere fabriek of kantoorgebouw. 'En toch sta ik (zegt de boer), als ik wil met de auto binnen twaalf minuten op het Waterlooplein.'

De meeste boeren zijn lid van de Vereniging Agrarisch Natuurbeheer Waterland. In het vroege voorjaar laten ze stukken grasland onder water lopen die dan een aantrekkelijke plek worden voor trek-, water- en weidevogels. En in de hooi- en maaitijd krijgen de boeren subsidie als ze de nesten van de weidevogels beschermen om de vogelstand te bevorderen. Op die manier kunnen de boeren blijven boeren en blijft het karakter van het landschap behouden. Een landschap dat niet verkaveld is; de

boeren hebben onderling wel stukken land geruild of verkocht. Aan het einde van de weg kom je bij een driesprong: je kunt verder naar Holysloot, ➤ Ransdorp, Amsterdam of ➤ Broek in Waterland.

AMSTERDAM, DURGERDAM, UITDAM, HOLYSLOOT EN RANSDORP

Deze tocht, die gedeeltelijk langs de dijk van de voormalige Zuiderzee loopt, begint al meteen wanneer je Amsterdam-Oost achter je hebt gelaten echt leuk te worden! Sla na de Schellingwouderbruggen over het IJ en het Buiten IJ vóór de afslag S115 van de ring A10 rechtsaf, richting ➤ Durgerdam, Uitdam

en ➤ Marken. Rechts van de weg steken de masten van binnenvaartschepen/woonboten boven de dijk uit. Een stukje verderop buigt de weg naar links, naar het lintdorp Durgerdam. Langs de huizen is een smal trottoir; fietsen en auto's moeten de weg met elkaar delen. Voorbij het dorp kom je bij de afslag naar ➤ Ransdorp. Onder aan de dijk is een parkeerplaats: het begin- of eindpunt van de **Goudriaanroute**. Die route loopt gedeeltelijk langs het onafgemaakte Goudriaankanaal. Meestal zijn er maar weinig scheepjes in het kanaal. Koning Willem I had

Gezellig op een bankje 'bijbeppen' of samen op de fiets: je kunt hier alle kanten op.

De Durgerdammerzeedijk werd
opgeworpen na de
Sint-Elisabethsvloed van 1421.

anders gehoopt: hij betaalde uit
eigen zak het graven van het
kanaal dat door Adrianus Gou-
driaan (1768–1829) was ontworpen. Hij besloot daartoe na de
watersnoodramp van 1825
waarbij grote delen van Waterland onder water kwamen te
staan. De bedoeling was om het
IJ af te dammen. Van Durgerdam naar Diemen moest er een
dam komen die stad en land
tegen de zee zou beschermen en
dwars door Marken en Waterland
zou een kanaal komen dat het
scheepvaartverkeer naar
Amsterdam zou vergemakkelij-
ken. De Zuiderzee slibde immers

voor de kust van het IJ steeds
meer dicht. Maar Amsterdam
zag meer in de aanleg van het
Noordzeekanaal. Uiteindelijk
werd na veel heisa het werk aan
het Goudriaankanaal gestaakt.
Wat al klaar was (in Waterland
en op Marken) is nooit bevaren
door grote schepen. Adrianus'
droom werd een nachtmerrie
waar slechts een enkel plezier-
bootje wel bij vaart.
Langs de Uitdammerdijk loopt
een smalle weg voor gemotori-
seerd verkeer; op de kruin loopt
een fietspad. Rechts van de dijk
staat een windturbine. Vanaf de
dijk heb je een weids uitzicht
over het IJsselmeer met in de
verte IJburg en het eiland Pampus. Aan de kant van de polder
is de stompe toren van Rans-

dorp te zien. Zo'n landelijk panorama zo dicht bij Amsterdam zal je hier steeds opnieuw verbazen.

De eerste enclave die volgt is een aantal recreatieterreinen: mierenhopen van kleine optrekjes waar stadsmensen hutje aan hutje van de vrije natuur genieten. Het voormalige terrein van campinghouder Wolff is door krakers in bezit genomen en heet nu 'De wolf of de zeven geitjes'. Pal naast deze vrijbuiters ligt het Kinselmeer dat bij een dijkdoorbraak in 1825 ontstond.

Iets verderop kun je de dijk verlaten om naar Holysloot te gaan. Dat kan via een landweg of door hekjesklimmend door de weilanden te sjouwen. Blijf je op de dijk, dan komt weldra **Uitdam** in zicht. Daar kun je in café-lunchroom 'De scheepskameel' (Uitdammerdorpsstraat 35) genieten van een kopje koffie met appeltaart. Leuke naam trouwens, *Scheepskameel*. Schepen die bij Pampus aan de grond dreigden te raken werden aan bak- en stuurboord voorzien van houten bakken gevuld met water. Als de bakken werden leeggepompt kwamen de schepen hoger te liggen en konden ze alsnog verder naar het IJ. Die vernuftige constructie noemt men een 'scheepskameel'.

De bewoners van Uitdam kijken

Het haventje van Uitdam bestaat uit een aantal aanlegsteigers.

Na een paar uur peddelen is het goed
uitrusten op de dijk aan het IJmeer.

vanuit de huiskamer uit over het
water van de Uitdammer Die,
waaraan voor zeilers komend
uit de Holysloter Die een aanlegsteiger is. Aan de achterkant
kijkt men vanuit de keuken
tegen de dijk aan. Op die dijk
heeft een vriendelijke bok met
zijn eigen houten huisje het
beste plekje op de dijk. Het
vroegere haventje van Broek in
Waterland ligt beneden de dijk;
de vissersboten voerden het
onderscheidingsteken B I W.
Aan de oever liggen, afhankelijk
van het seizoen, surfplanken en
zeiljachten.
Richting Marken is een grote
jachthaven en camping. Je kunt

daar kiezen om verder te gaan of
om via Zuiderwoude en Holysloot terug te keren naar Durgerdam.

Wandeltochten

VAN MUIDEN NAAR MUIDERBERG

De bushalte van ➤ **Muiden** ligt even buiten de kern van het stadje, bij het parkeerterrein. Auto's mogen daar gratis worden geparkeerd. Borden wijzen de weg naar het centrum, je komt uit bij de sluis.

❝ Aan de overkant van de **Vecht** zitten mensen op caféterrasjes koffie te drinken, maar we vinden dat wij dat nog niet verdiend hebben. We lopen rechtdoor de Naarderstraat in en komen uit op een pleintje voor de vesting. Na de brug over de **Naardertrek-vaart** staan we al buiten de bebouwing van Muiden, de **Noordpolder** strekt zich voor ons uit: het eigenlijke begin van onze wandeling.

Links loopt een dijkpad, een houten hekje staat uitnodigend voor ons open. We volgen het pad langs de vestinggracht. Achter de stadswal bevindt zich aan de overkant van het water, half verscholen tussen rietkragen en bomen, het Muiderslot. In de

Linkerpagina: Schippers en wandelaars nemen aan de sluis nog een 'one for the road'.
Boven: Aan de monding van de Vecht prijkt het Muiderslot.

slotgracht doen kikkers een spelletje kwaken. Dan stuiten we op een obstakel: een houten hek met opstap dat versterkt is met een op de kop getikt stuk vang-rail. Een familie, inclusief oma, komt ons tegemoet en klimt behendig over de afrastering heen. Zelfs oma heeft geen helpende hand nodig. Wij kunnen dus niet achterblijven en nemen, vinden we zelf, het struikelblok zoals gemzen een rotsblok nemen.
Op de kruin van de dijk volgen we het hobbelige graspad dat

uitzicht biedt op het **IJmeer**. Het water kabbelt tegen de keien van de dijk. Boompjes die met de wortels in het brakke water staan, schijnen opvallend goed te gedijen. Het eiland ➤ Pampus ligt op zo'n drie kilometer buiten de kust, van hieruit bezien is het een stip aan de horizon.
Rechts beneden de dijk ligt de **Noordpolder**; in de schaduw van meidoornstruiken liggen koeien uit te buiken. Om de zoveel meter staat op het pad een rood paaltje met een witte band, het teken van de Zuiderzeeroute. Ook op de hekken die ons pad kruisen staat zo'n herkennings-teken. Over elk hek moeten we heen klauteren, hoewel de opstapjes het ons wel makkelij-ker maken.

Op deze zonnige zondagochtend in mei komen we opmerkelijk veel wandelende tegenliggers tegen. Sommigen groeten ons vriendelijk, anderen negeren ons als lopen we in de Kalverstraat. Ook een jong stel met een kinderwagen komen we tegen, ze tillen de wagen met baby en al over de hekjes. We vragen ons af of de drukte wellicht te wijten is aan John Jansen van Galen, die onlangs in *Het Parool* een stukje schreef over de wandeling die we nu maken. In het Amsterdamse dagblad schrijft hij wekelijks over wandelingen die je in de natuur kunt maken. 'Wat heerlijk om zo je brood te verdienen,' stellen we een beetje jaloers vast.

Plotseling klinkt vanuit de polder het gakken van een groep ganzen; kibbelend draaien ze om elkaar heen. Voordat we de verrekijker uit het foedraal hebben gehaald, vliegen ze op en in V-formatie maken ze al gakkend een bocht over het IJmeer. Daarna strijken ze op de oude plek in de wei weer neer. We kibbelen over de vraag of het de 'rotgans', dan wel de 'kolgans' is die hier komt foerageren. We komen tot een poldermodel en besluiten dat het de 'grauwe gans' zal zijn. Na het bestuderen van de vogelgids blijkt dat ook te kloppen. Verderop schurkt de Noord Polderweg tegen onze dijk aan, de weg zagen we eerder recht op

ons afkomen. Op de landweg rijden fietsers en een enkele auto, de fietsers hebben duidelijk hinder van de zwermen vliegjes die in de luwte van de dijk krioelen. Met één hand proberen ze de vliegjes van zich af te slaan, maar dat zet geen zoden aan de dijk. Een fietser horen we naar een tegenligger roepen: 'Het wordt nog veel erger!' Wij hebben die 'bemoediging' niet nodig: het windje op de dijk zorgt ervoor dat we nauwelijks last van de beestjes hebben.

We stappen vrolijk verder om dan even bij een strandje stil te staan. Aan de overkant zien we **Flevoland** liggen, de bebouwing van Almere is duidelijk zichtbaar. Als we nog enkele hekjes hebben genomen, zien we voor ons

het strand van **Muiderberg**. Op het meer zijn zeilboten en surfers in de weer (surfplanken kun je daar huren) en op het strandje bij de Zeeweg is het gezellig druk. In de strandtent nemen we een drankje, een broodje kroket en een patatje-mèt. We vinden dat we na zoveel calorieën te hebben verbrand, dat wel hebben verdiend. **,**

Je kunt teruggaan door landinwaarts naar Muiden te kuieren. Dat rondje Muiden–Muiden is ongeveer tien kilometer. Maar wie het na deze tocht van zes kilometer welletjes vindt, kan op

Het dijkpad met overstaphekjes tussen Muiden en Muiderberg is onderdeel van het Zuiderzeepad.

de hoek van het oude Rechthuis de bus terug nemen. Op die manier blijft er ook nog wat te wensen over...

RONDJE MARKEN

Er zijn mensen die in enkele etappes de hele route van het Zuiderzeepad (ongeveer 400 km) lopen en voor wie een rondje Marken (ongeveer 8 km) een fluitje van een cent is. Maar geoefend of niet: voor elke wandelaar is een rondje Marken één van de mooiste wandelingen die je langs het IJsselmeer kunt maken; in een notendop geeft het je een fascinerend beeld van het vroegere en hedendaagse bestaan op het voormalige eiland.

Ga je met de auto, parkeer die dan iets vóór ➤ **Marken** aan de dijk, daar is het begin van het wandelpad dat genomen moet worden. Kom je met bus 111 van Amsterdam CS, ga dan mee tot de parkeerplaats.

❜Ik twijfel of ik de weg zal blijven volgen of dezelfde route zal nemen als het meisje dat ook in de bus zat en dat heel kordaat een straat tussen bouwbedrijven inslaat. Vermoedelijk gaat ze binnendoor naar huis. Onnodig omlopen wil ik niet en ik volg haar op afstand. Zonder om te kijken verdwijnt ze even later inderdaad in een woning van de Grotewerf.

'Werf' heb ik geleerd noemen ze op Marken de gehuchten die op een terp zijn gebouwd. Omdat de zee voor de voltooiing van de Afsluitdijk bij stormvloed min of meer vrij spel had, bouwde men de huizen op houten palen. Door de Afsluitdijk verdween het gevaar voor een overstroming en kon men de onderkant van de huizen dicht maken, zodat er een extra ruimte bij kwam.

Voor het rijtje huizen is een grasveldje en een sloot waar kikkers met hun gekwaak hun best doen om een partner te versieren en aan de slootkant doen konijnen zich tegoed aan het gras voor hun halfopen hokken.

Het pad gaat over in het Oosterpad waar aan de kant staat aan-

De Rozewerf aan het Markermeer met ijsbrekers voor het geval dat....

gegeven dat het weggetje onderdeel is van de Gouwzeeroute,
maar verderop krijgt men kortaf
de boodschap: omkeren. Ik loop
welgemoed verder. De weg gaat
zo'n twee meter omhoog en ik
kom in de Rozewerf. De huizen
staan daar op elkaar gepakt,
slechts gescheiden door smalle
steegjes. Gezien de collectie
ondergoed van verschillend for-
maat dat aan de waslijn te
drogen hangt, moeten hier grote
gezinnen wonen. Het is er vredig
en stil; alleen de mussen die
elkaar in de haag tussen de tuintjes achterna zitten, laten zich
horen. Voorbij het laatste huis
ligt de dijk rond Marken – het
Markermeer strekt zich voor me
uit.
In het water staat haaks op de
zwarte keien van de dijk een rij
ijzeren palen. Mocht het ijs aan
het eind van de winter gaan krui-
en, dan belet deze ijsbreker dat
ijsschotsen over elkaar gaan
schuiven en de huizen van de
werf vernietigen. In het verleden
is dat vaak voorgekomen en
deze constructie is een vernuftige vinding om het kruien te
voorkomen.
Op de dijk loopt een wandelpad,
in de verte is het begin van het
pad te zien, een paar auto's
staan er geparkeerd. Aan het
andere eind van het pad staat in
de verte **'Het Paard van
Marken'**, de vuurtoren. Daar

stap ik met de zon recht op m'n
kop op af.
Het pad is met klinkers bestraat
wat het lopen makkelijker
maakt. Beneden kabbelen golven met witte schuimkoppen
tegen de dijk. Het grasland is net
gemaaid, dat ruikt lekker. Op de
dijk zie je goed het hoogteverschil tussen het water en het
land. Je kunt je goed voorstellen
hoe het in 1916 moet zijn
geweest, toen het zeewater tot
2,58 meter boven NAP steeg.
Tijdens die watersnood brak de
dijk op verschillende plaatsen
door, huizen werden weggeslagen en meegesleurd, terwijl de
helft van de bottervloot tot wrak
werd geslagen.
Na elke overstroming, soms wel
drie keer in één herfst, bleef er
een laagje vruchtbaar slib op het
land achter dat garant stond
voor grote grasoogsten. Het gras
groeide zo snel dat tweemaal per
jaar kon worden gemaaid. Met
het maaien, hooien en 'hooiva-
ren' – met vletjes naar de haven
en dan verder met botters naar
de boeren op het vasteland –
verdiende men een goede boter-
ham. Of spekpannenkoek met
stroop, want dat was naast vis
hier de dagelijkse kost.
Dwars door het eiland loopt het
Goudriaankanaal. Koning Willem I liet het in 1826 graven
nadat het pas geopende Noordhollands Kanaal voor grote

koopvaardijschepen te smal en te bochtig bleek. Een soort Betuwelijn zou je kunnen zeggen. De meeste schepen moesten langs de ondiepte bij ➤ Pampus varen en om dat te omzeilen zou een kanaal door Marken en verder door het Waterland de oplossing zijn. Halverwege het project liet Amsterdam weten dat men het te duur vond en het graafwerk werd stopgezet. Later zou het Noordzeekanaal soelaas brengen. Het Goudriaankanaal (ook wel Oostervaart geheten) is nu het domein van watervogels. Op verschillende plekken in de wei zie je kolonies ganzen die af en toe een rondvlucht over Marken maken.

Voorbij de Moeniswerf komt met elke stap 'het Paard' steeds pro-minenter dichterbij. Met volle zeilen passeren schepen vlak langs de kop van de vuurtoren. De toren is nog altijd een oriëntatiepunt voor schepen in het Marker- en IJsselmeer. Gedurende drie eeuwen moest de torenwachter als het donker werd een vuur maken. Nu werkt het licht op elektriciteit.

De huidige ronde toren en de wachterswoning dateren uit 1839. Kruiend ijs is de grootste bedreiging voor de toren; in 1879 werd de woning gedeeltelijk door het ijs verwoest en in 1971 reikten de opgestapelde schotsen tot aan de dakrand. Een moeder zit met een peuter op een bankje bij de dam voor de vuurtoren. Het jongetje kijkt me lachend aan, maar de moeder geeft geen sjoege.

Voor 'het Paard' is een strandje met een stukje afgebakend 'zwembad', maar omdat ik vrees dat het zeewater nog lang niet 'op temperatuur' is, zie ik er van af met mijn inmiddels toch wel vermoeide voeten in het water te gaan pootjebaden.

Als ik langs het bankje loop zwaait het jongetje naar me, maar moeders gunt me geen blik. Ze zal me met mijn door de zon roodverbrande hoofd wel een rare snuiter vinden.

Het dijkpad is inmiddels wat breder geworden. Voor een grutto

Linkerpagina: Achter de tractor is een stukje van het Goudriaankanaal te zien.
Onder: Het trotse 'Paard' van Marken.

kom ik kennelijk te dicht bij haar nest met jongen: ze probeert me met veel kabaal van het nest weg te lokken. Zij heeft het blijkbaar ook niet zo op een man alleen.

Verderop staat een man geleund tegen zijn fiets naar een kolonie ganzen te kijken. Ik groet hem met een 'goede morgen' en hij geeft me met een 'goeie middag' een corrigerend antwoord. Ongemerkt is de tijd voorbij gevlogen.

Na een bosschage kom ik langs het voetbalveld van Marken en daarna bij een nieuwbouwbuurt. Ik tuur in de verte en zie hoe het pad daar afbuigt en met een bocht richting haven leidt. Daar ergens is ook de doodlopende veertien kilometer lange strek-

dam in de Markermeer richting Volendam.

Ik smokkel een stuk van de route door van de dijk af te lopen en de nieuwbouwwijk in te gaan. Voor alle zekerheid heeft men daar de huizen toch maar een metertje hoger dan het maaiveld gebouwd. Via de Zuiderzeeweg en de Kerkbuurt bereik ik de haven en ga café-restaurant 'Land en Zeezicht' binnen om wat te eten en te drinken. De serveerster heeft een piercing in haar kin, wat me doet denken aan de vroegere vissermannen van Marken die een gouden ringetje in het oor droegen. Misschien ook wel de overgrootvader van dit meisje. Zij draagt de piercing voor de sier, de mannen zeiden dat ze het niet uit ijdelheid droegen, maar om hun gezichtsscherpte te behouden.

Wanneer ik naar de bushalte loop, zie ik een bejaarde man in korte broek over het laatste stuk van 'mijn' dijkpad rennen. Ik vraag me met verbijstering af of de man echt het hele Rondje Marken zonder te smokkelen, rennend heeft afgelegd. ❜

BROEK IN WATERLAND

Ben je niet zo'n langeafstandwandelaar en wil je een niet te lang rondje maken, dan kun je in ➤ **Broek in Waterland** even je hart ophalen. Met de bus vanuit

Amsterdam ben je er zo.

Naast de bushalte uit de richting Amsterdam staat een bord met informatie over vier gemarkeerde wandelroutes die je van hieruit kunt nemen. De **blauwe Trambaanroute (6 km)** volgt een stukje van het traject Amsterdam–Edam van de oude tram. De **groene Badkuiproute (6 km)** voert je over de onverharde ringdijk van de Noordmeer. De **rode Laarzenpadroute (10 km)** loopt door Broek, Watergang en Het Schouw. Volg je de **zwarte Hekkenroute (12 km)** dan staan je op de ringdijk van de Purmer veertien hekjes te wachten. Als je die route wilt lopen moet je er rekening mee houden dat je over hekjes moet klimmen, verse koeienvlaaien voor lief

Aan het Havenrak van Broek kijk je uit
op de theekoepel die ook (*links*)
op de gravure uit 1812 afgebeeld
staat.

moet nemen en niet bang moet
zijn voor loslopende beesten
(koeien, paarden, zwanen) die er
hun habitat hebben.
Als je in Broek in Waterland uit
de bus stapt, sta je voor een tunneltje waardoor je veilig onder de
N247 door naar de overkant
kunt (Broek-noord). Links op de
hoek kun je bij 'Broeck brunches
en lunches' bij de koffie lekkere
taartjes 'uit eigen keuken' eten
en aan de overkant, bij de 'De
Witte Swaen' (Dorpsstraat 11-
13) serveren ze pannenkoeken.
Lekkere trek? Loop ze vooral-
nog toch maar voorbij, want met

een volle maag op pad is niet zo
slim. Trakteer jezelf straks maar,
als je hier terugkomt.
Rechts van de Dorpsstraat staan
mooie houten huizen en links, na
het voormalige restaurant 'Neeltje Pater' is het Havenrak (een
natuurlijke verwijding van het
watertje de Ee). Toen er nog
echte winters waren werd op het
meer geschaatst en stond er een
koek-en-zopie op het ijs. 's
Zomers liggen er roeiboten en
bootjes met een buitenboordmo-
tor aan de steiger; kinderen uit
de omgeving hebben er bijvoorbeeld aangelegd om naar school
te gaan of om in de supermarkt
in de Dorpsstraat boodschappen
te doen.
Aan het Havenrak staat een
bankje, als je over het water kijkt

zie je aan de overkant de thee-koepel uit 1793. Het lijkt erop of de klok hier een paar eeuwen heeft stilgestaan. Zeker als je aan de kant de geplastificeerde gravure 'Gezicht op Havenrak van Broek' van Antoine-Ignace Melling (anno 1812) bekijkt. De tekst meldt dat in de 18e eeuw Broek internationale bekendheid kreeg als het 'rijkste en schoon-ste dorp van Holland'. Met dat schoonste wordt hier properste bedoeld.

Die schoonheid heeft Broek behouden. De nieuwbouw heb-ben ze hier zo gebouwd dat het dorpsgezicht niet is aangetast. De traditionele Broeker huizen dateren uit de 17de en 18de eeuw en zijn prachtig gerestau-reerd. Het is allemaal van een oogstrelende schoonheid. Vroe-ger waren de notabelen van Broek rijk en gezien de luxe bo-lides die hier geparkeerd staan, wonen er ook nu geen armoed-zaaiers.

Voor het Kerkplein is een antiek-winkel en als je linksaf slaat kom je bij de hervormde kerk waar Neeltje Pater begraven ligt. Bij het voormalige gemeentehuis ga je links De Erven op. Door de bomen kun je het Havenrak zien liggen. Aan het eind van het pad is een lus en loop je hetzelfde stuk weer terug, zodat je het gemeentehuis passeert. In het Roomeinde is een fotogalerij gevestigd en in de voormalige lagere school de beeldentuin van Eric Claus en Helen Levano. Na het kerkhof ga je rechts de brug

In sommige voortuintjes van Waterland staan bordjes met spreuken van Jan Wolkers.

over en loop je richting kerk terug. Rechts stroomt de Dee, een oud veenriviertje; aan weerszijden van het stroompje staan huizen met weelderig aangelegde tuinen. In enkele daarvan staan bordjes met een spreuk van Jan Wolkers, zoals een verwijzing naar de typische West-Friese huizen: 'Zie daar, een reusachtige piramide van Lindegroen.' En: 'Het Noord-Hollands landschap, een tapijt van blijdschap.'

Het **'Broeker Huis'** (anno 1740) wordt nu gebruikt als trouwzaal en dorpshuis. Het stenen huis ernaast was vroeger een weeshuis. Dan kom je weer bij de hervormde kerk. Voor de kerk staat een oud houten urinoir. Vroeger spetterde een plasje zo het water in, nu is het een keet. Eigenlijk

hoort het geval in een museum thuis, zoals het buitenmuseum van Enkhuizen. Sommigen zullen zich wellicht afvragen wat je met zo'n oud ding moet, maar later zal men de waarde van een dergelijk antiek attribuut gaan inzien.

Op de hoek van het Havenrak staat het voormalige restaurant 'Neeltje Pater' dat thans in gebruik is als woonhuis.

Na een ommetje van nog geen uur is het tijd om bij restaurant 'De Witte Swaen' neer te strijken. Naast zestig verschillende soorten pannenkoeken kun je er kiezen uit bijvoorbeeld de 'Domme Dirk', een broodje boerenkaas met mosterd en mayonaise of het 'Dorpsgeluk' met mozzarella, seranoham en olijfolie. Zoek je je geluk liever in een ouderwetse pannenkoek: die met appel is aan te bevelen, knapperig en de appel is niet papperig!

Met stoomtram
en trein

MUSEUMSTOOMTRAM VAN HOORN NAAR MEDEMBLIK

Je raakt al in een nostalgische stemming als je voor het ouderwetse loket van het stationnetje van ➤ **Hoorn** staat om een kaartje voor de reis naar ➤ **Medemblik** te kopen. Niet alleen kinderen vinden een ritje met de stoomtram een belevenis, ook heel wat vaders genieten met volle teugen. Menigeen voelt zich weer kind als hij op het perron de conducteurs en besnorde stationschef zien drentelen.

❛ Als de stationsklok aangeeft dat het trammetje al had moeten vertrekken, wacht de besnorde stationschef tot alle laatkomers een plaatsje in een van de tien rijtuigen hebben gevonden. Alle rijtuigen zijn door vrijwilligers gerestaureerd: bij de derde klas zit je op houten banken, bij de eerste zit je op het pluche – andere smaken zijn er niet. De stationschef geeft met het 'spiegelei' het sein tot vertrek en

'Bello' rijdt langs molen 'De Herder' van Medemblik.

met veel gesis, gepuf en gefluit zet de stoomlocomotief zich langzaam in beweging. Op het open voorbalkon van het eerste rijtuig staan kinderen met hun ouders te kijken naar 'Bello', de glimmende locomotief die de krakende rijtuigen voorttrekt. Een vader komt met een kind erbij staan en onder het mom dat pa een fotosessie wil maken, drukt hij wat kinderen opzij, zodat hij vooraan komt te staan. Een klein meisje kruipt tussen de benen van de grote kerel door en hangend over de balustrade belemmert ze zijn uitzicht. Pa gaat maar weer terug en negeert de vernietigende blikken van een paar moeders.

Maar meestal gedragen de oudere 'kinderen' zich netjes en laten

ze de kleintjes vooraan staan. Een oma vertelt haar kleinkind wat het kind zelf ook wel ziet, een opa vertelt dat stoomloco-

motieven vroeger heel gewoon waren en twee jongens scheppen tegen elkaar op over de model-treintjes die ze thuis hebben. Een man met een ouderwetse NS-pet op staat gewapend met een rode vlag op de treeplank en elke keer als een overweg in zicht komt, springt hij van de treeplank en snelt vooruit om de automatische spoorbomen in werking te stellen. Als die er niet zijn, houdt hij zwaaiend met de rode vlag het verkeer tegen.

Een waakhond blaft venijnig naar 'Bello' als we door een achtertuin stomen, maar koeien en schapen in de wei kijken niet op

In Twisk maakt de stoomtram een tussenstop.

of om. Vroeger waren de boeren beducht dat de koeien door gefluit van een locomotief zo van streek zouden raken, dat ze geen melk meer zouden geven, maar dat was vroeger.

In het opgeknapte stationnetje van **Wognum** pauzeert de colonne, iedereen stapt uit om niet alleen Bello van dichtbij te bekijken, maar ook de nieuwste aanwinst uit 2006: de 'Ooievaar 8'. Deze vierkante groene tramloc uit 1904 ziet er na haar restauratie weer fonkelnieuw uit. De locomotief heeft jaren voor de HTM (Haagsche Tramweg Maatschappij) dienst gedaan. 'Bello' vervoerde passagiers van en naar Alkmaar en Bergen (N.H.). Rond 1900 reden in Nederland honderden stoomlocs, maar er

zijn in de hele wereld nog maar een paar over.

Even later vertrekt de stoomtram weer, we rijden langs **Twisk** en **Opperdoes**, waar aardappelrooiers zittend op de grond met de hand de pieperoogst binnenhalen. Ze kijken even van hun werk op en zwaaien ons uitbundig na.

Aan de dijk van Medemblik bereikt 'Bello' knarsetandend zijn eindbestemming. Daar wordt door de reizigers nog wat nagepraat. Een Engelse gepensioneerde treinmachinist mag in de stookplaats van 'Bello' met zijn collega's mee wanneer de loc gaat rangeren. Als de man weer uitstapt zitten zijn gezicht en broek onder het roet: 'Old times, good times,' lacht hij. De tijd heelt de herinnering aan het hete en afmattende zwoegen van weleer op de locomotief van de kolenmijn.

De meeste toeristen zijn inmiddels al op weg naar de boot die hen naar ➤ **Enkhuizen** zal brengen. Je kunt ook terug met bus 39 naar Hoorn. **,**

Informatie over prijzen en dienstregeling is te vinden op: www.museumstoomtram.nl.

VAN LEEUWARDEN NAAR STAVOREN V V

Menige NS-reiziger met een voordeelurenabonnement gebruikt zijn gratis 'keuzedag' om met de trein het land te doorkruisen. En als het gratis is, ga je natuurlijk niet naar een dichtbijgelegen station, maar zoek je een bestemming zo ver mogelijk van je eigen woonplaats. Delfzijl, bijvoorbeeld. Maar wat moet je in hemelsnaam in Delfzijl? Ga dan liever naar Leeuwarden om daar het spoorlijntje naar ➤ **Stavoren** te pakken. En als je geen voordeelurenkaart bezit, betaal je maar de volle mep, want de reis is alleszins de moeite waard! Zolang het nog kan, want de lijn is onrendabel en alles wat onrendabel is gaat op de schop.

De lijn kwam in 1885 tot stand en gaf aansluiting op de veerdienst naar ➤ **Enkhuizen**. Aanvankelijk was deze combinatie door het toenemende goederen- en personenvervoer een succes. De veerboot voer vier keer per dag heen en weer, behalve in de winter wanneer de Zuiderzee bevroren was. Maar na de aanleg van de ➤ **Afsluitdijk** nam het autoverkeer die snellere verbinding tussen Friesland en het westen van Nederland over. De veerdienst werd in 1964 opgeheven en sedertdien vaart er alleen in de zomermaanden

een kleinere salonboot.
De spoorlijn Leeuwarden–Sneek
–IJlst–Stavoren is alleen van
regionaal belang en de spoorwegen wilden het traject na Sneek
kappen, maar na protesten werd
het plan ingetrokken. Wel ging
men op het laatste stuk over op
enkelspoor en de oude stations-
gebouwen werden gesloopt.
Daarvoor in de plaats kwamen
eenvoudige abri's, zodat je bij
slecht weer op het perron staat
te vernikkelen. Om het uur vertrekt er een 'Wadloper' van
Leeuwarden naar Stavoren, de
treinreis (50 km) duurt vijftig
minuten.
In Stavoren gaat er na een uur
een trein terug. Je kunt ook met
de salonboot *Bep Glasius* naar
Enkhuizen varen en daar de trein

Bij de Spoorhaven van het eindstation
Stavoren gaat ieder zijns weegs.

nemen – met of zonder voordeelurenabonnement.

WORKUM – STAVOREN

In → **Workum** stapten we uit
met de bedoeling om er wat rond
te kijken en een uur later de trein
komende uit IJlst verder te
nemen. Als we langs de fietsen-
stalling van het stationnetje
lopen, verstoppen twee tieners
schielijk hun stickie achter hun
schooltas, maar de geur van de
weed overtroeft die van het platteland. We wandelen over de
Spoardyk langs café 'Spoarsicht'
en de zuivelfabriek van Frico en
komen in het centrum van het

Verscholen, links achter de bosschage, bevindt zich het stationnetje van Hindeloopen.

stadje. Omdat er net een onweersbui losbarst zoeken we dekking in het **Jopie Huisman Museum**. De tekeningen en schilderijen van de voormalige lompenkoopman verrast ons aangenaam. Als we buiten staan beseffen we dat we de eerstkomende trein richting ➤ Hindeloopen niet meer kunnen halen, we moeten dus op de volgende wachten. Bij de **Grote of St.-Gertrudiskerk** staat een minibus klaar om naar ➤ **Hindeloopen** te vertrekken. We besluiten om die te nemen. Achteraf een goed idee.

De chauffeur zet de vaart erin en zegt dat hij de slingerende weg kan dromen. Dat hopen we dan maar. Het is een man die aldoor over zijn schouder kijkend gezellig over koetjes en kalfjes praat en hij wordt geestdriftig als hij de geneugten van het platteland beschrijft. Op de vraag of hij vindt dat de moderne windturbines de horizon 'vervuilen', antwoordt hij laconiek dat die dingen juist het landschap minder 'saai' maken.

Vlak voor we Hindeloopen binnenrijden stopt de chauffeur even op de Suderseewei om bij vishandel Hoekstra vis te kopen. Wij volgen zijn voorbeeld.

We willen de boot van Stavoren naar Enkhuizen halen en kunnen niet te lang in Hindeloopen rondneuzen. Als we Hylpen verlaten,

staat op het bord dat de stads-
grens aangeeft: *Oant Sjen*. We
komen er zeker terug.

In de verte, op zo'n anderhalve
kilometer, zien we de spoordijk
liggen, maar waar we precies
moeten afslaan om het station te
bereiken, is de vraag. Moeten we
ergens na de overweg afslaan of
daarvoor links de Lieuwe Klazes-
leane in? Nergens staat aangegeven waar dat klinkerpad naar
toe leidt. We lopen op goed
geluk toch maar het laantje in.
Na een tiental meters ontwaren
we door de struiken inderdaad
het stationnetje. Het perron is
verlaten, de wind heeft er vrij
spel en dat bemoeilijkt ons om
bij de rokerspaal een sigaret op
te steken.

De 'Wadloper' arriveert op tijd en
levert een aantal scholieren af.
De treinmachinist, die ook con-
ducteur, stationschef en wissel-
wachter is, fluit dat hij mag vertrekken. In ons compartiment zit
een oud echtpaar dat in het Fries
elkaar schaars een mededeling
toefluistert, en twee pubermeis-
jes van wie de een standvastig
haar kiezen op elkaar houdt en
de ander in een mengeling van
Fries en Nederlands aan een
stuk over haar moeder klaagt.
'Ze is vet pis op me,' is haar con-
clusie. In **Molkwerum** stappen de
meisjes uit. Het echtpaar kijkt
elkaar zwijgend aan en schudt
traag het hoofd. We voelen ons
als Kuifje in Fryslân. **,**

Deel twee
IJsselmeer-ABC

Afsluitdijk

In de tijd van de Romeinen was de latere Zuiderzee nog een groot meer, dat bekendstond als Mare Flevum (Flevomeer). Omstreeks het jaar 800 werd hiervoor de naam Aelmere (Almeer) gebruikt. Het meer stond via een zeegat, 't Vlie, in directe verbinding met de Noordzee.

Door inklinking van het veen kwam het land steeds lager te liggen waardoor bij elke storm land kon afkalven. Vooral tijdens de 13de eeuw werden de nog resterende veengebieden langs het Aelmere overspoeld. Zo ontstond een binnenzee met een brede uitgang via het noorden naar de Noordzee, met o.m. als gevolg dat Friesland uiteenviel in een oostelijk en een westelijk deel (dat door de graven van Holland kon worden geannexeerd).

Pas in de loop van de 14de eeuw werd de binnenzee als Zuiderzee aangeduid – een naam die in gebruik zou blijven tot de aanleg van de Afsluitdijk.

In de 17de eeuw bedacht Hendrik Stevin, zoon van de beroemde wiskundige Simon Stevin, een plan om de verraderlijke Zuiderzee met een dijk af te sluiten en landinwaarts droog te malen. Maar met windmolens kon dat plan niet worden uitgevoerd zodat het moest worden afgeblazen. Pas na de uitvinding van het stoomgemaal kon dat wel. Bij de inpoldering van de Haarlemmermeer (1848–1852) werd met succes gebruik gemaakt van stoomgemalen.

Ingenieur Cornelis Lely ontwierp in 1918 het Zuiderzeeplan. Bescherming tegen stormvloeden, de vorming van een zoetwaterbassin en het winnen van nieuwe landbouwgronden waren de argumenten om goedkeuring voor zijn plan te krijgen. De vissers waren fel tegen, wat te begrijpen valt, want uitvoering van het project zou de doodslag betekenen van hun broodwinning. Andere sceptici dachten dat 'het gat van de Vlieter' door de sterke stroming nooit gedicht kon worden. Maar na de verschrikkelijke watersnoodramp van 1916 kreeg Lely versneld het groene licht om zijn plan te verwezenlijken.

De Afsluitdijk
met de uitkijktoren van architect
Willem Dudok.

Eerst werd de Wieringermeer drooggemalen en daarna begon men aan de 32 kilometer lange verbinding tussen de kop van Noord-Holland en Friesland. Het werk werd op verschillende plaatsen tegelijk aangepakt. Op het Breezand, een ondiepe zandplaat halverwege het traject, werd een eiland met twee werkhavens aangelegd. Vijfduizend dijkwerkers werkten aan de dijk, en woonden op oude boten en in primitieve barakken ('reumatiekketen' werden ze genoemd). Zes dagen in de week moest men in weer en wind ploeteren, terwijl men eens in de drie weken een weekendje naar huis mocht. Om de dijk te kunnen opwerpen werden zinkstukken verzwaard met grote stukken steen om ze naar de bodem te laten afzinken.

Intussen werden twee enorme sluizen gebouwd, een bij Den Oever (Stevinsluizen) en een bij Kornwerderzand (Lorentzsluizen). Bij de sluizen werden ook verdedigingswerken (kazematten) opgetrokken om een eventuele vijand uit het oosten de doortocht over de Afsluitdijk naar Holland te belemmeren. Na vijf jaar zwoegen was er nog slechts één stroomgat tussen de twee dijkvakken bij de Vlieter open. Op 28 mei 1932 was het historische ogenblik van de sluiting: de laatste zinkstukken en

Gedenksteen op de plek waar 'het gat van de Vlieter' door dijkwerkers werd gesloten.

bakken keileem werden in zee geworpen waardoor de Zuiderzee was afgesloten. Zuiderzee werd IJsselmeer, zout water werd zoet water.

Lely, de 'bedwinger van de Zuiderzee', heeft de voltooiing van zijn levenswerk niet meegemaakt; hij stierf in 1929. Aan de kop van de Stevinsluizen werd hij geëerd met een door Mari Andriessen ontworpen standbeeld. De dijkwerkers kregen ieder een bronzen medaille.

Op de plek van de Vlieter verrees op de Afsluitdijk een monument met uitkijktoren, ontworpen door architect Willem Dudok.

Op de Afsluitdijk (90 m breed) bestond de autoweg aanvankelijk uit één rijbaan met daarnaast een fietspad. Een strook voor een spoorweg werd vrijgehouden,

maar die is er nooit gekomen. In 1976 werd de weg verbreed en was de dubbele autosnelweg, de A7 of E22, een feit.

Na de aanleg van de Afsluitdijk werd volgens plan in 1936 begonnen aan de inpoldering van de Noordoostpolder; een werk dat zes jaar later gereed kwam. Emmeloord werd de hoofdstad. Nadat in 1957 Oostelijk Flevoland was drooggevallen en in 1968 de zuidelijke polder, werden de drie polders in 1986 uitgeroepen tot de twaalfde provincie van Nederland: Flevoland. De nieuwe hoofdstad kreeg de naam Lelystad.

Nu zou volgens plan de Markerwaard drooggelegd moeten worden, maar er ontstond zo'n protest vanuit de bevolking, dat het Markermeer meer bleef.

De Afsluitdijk heeft zijn dienst voor de veiligheid bij de stormvloed van 1953 bewezen. Toen werd de dijk aan de zeezijde weliswaar op veel plaatsen beschadigd, maar hij hield stand.

De Afsluitdijk is na 75 jaar aan een opknapbeurt toe. Er komt een derde spuisluizencomplex dat wegens de stijging van de zeespiegel, bodemdaling en verhoogde aanvoer van het rivierwater van de IJssel nodig is geworden. De bouw zal naar verwachting in 2008 worden gestart.

Blokzijl

Rond de voormalige Zuiderzee ligt een aantal stadjes die de indruk oproepen dat daar sinds het begin van de 18e eeuw de tijd heeft stilgestaan. Het vestingstadje Blokzijl is daar één van en wanneer je je afvraagt wie van al die nostalgische stadjes moeders mooiste is, dan komt Blokzijl zeker op de toptienlijst te staan. Dat het bloeitijdperk van het stadje in de Gouden Eeuw viel, is te zien aan de mooie koopmanshuizen met trap- en halsgeveltjes uit de 17de en 18de eeuw rond de havenkom. Aan de Noorderhaven staat een zogenaamd 'hoogwaterkanon', dat werd afgevuurd wanneer de Zuiderzee het stadje dreigde te overspoelen.

Niet voor niets werd het decor van Blokzijl door Bert Haanstra voor zijn speelfilm *Dokter Pulder zaait papavers* (1975) gebruikt. Dezelfde Haanstra koos in zijn

Rondvaartboten en plezierjachten dobberen in de haven van het vestingstadje Blokzijl; rechts de Grote Kerk. *Rechterpagina:* Het hoogwaterkanon houdt alles in de peiling.

vele malen bekroonde film *En de Zee was niet meer* (1955), de verdwijnende folklore rond de voormalige Zuiderzee als onderwerp.

Aan de oostzijde van het stadje ligt een plassengebied (het Giethoornse Meer, Vollenhover Meer en De Wieden) ontstaan door dijkdoorbraken van de Zuiderzee. Vroeger stak men er turf en maakte men er biezen matten. Blokzijl voer er wel bij: het was de grootste handels- en overslaghaven van Overijssel.

In de zomermaanden is de sluiswachter druk in de weer om de pleziervaartuigen door de smalle sluis naar de haven en de plassen te leiden. Bij de sluis staat een beeldje van Kaatje en men zegt dat het geluk brengt als je haar over het bronzen hoofdje strijkt. Kaatje had een herberg naast de sluis en het verhaal gaat dat ze heerlijk kon koken met specerijen en uitheemse vruchten en kruiden die de kapiteins van de Verenigde Oost-Indische Compagnie voor haar meebrachten. De recepten hield ze zorgvuldig geheim; ze schreef ze wel op en bewaarde ze in een scheepskist. In 1732 werd dat de rijke herbergierster fataal: terwijl ze in haar bedstede lag te slapen werd ze beroofd en vermoord. De onverlaten namen haar geld en de recepten mee. De daders zijn nooit gevonden; wel doken later haar recepten in verschillende Zuiderzeesteden op.

De kok van het gerenommeerde restaurant 'Kaatje bij de sluis' dat nu op de plek van Kaatjes herberg staat, zal niet beducht zijn dat zijn recepten op zo'n brute wijze zoals bij Kaatje worden gestolen – wel kun je je voorstellen dat hij zich druk maakte toen hij in 2005 van zijn Michelinster werd 'beroofd'. Zijn collega van 'Hof van Sonoy' (Kerkstraat 9) behield hem wel. Maar inmiddels heeft Kaatje haar ster weer terug.

Overigens, er zijn in Blokzijl meerdere eetgelegenheden waar men lekker lang kan tafelen of snel een hap kan nuttigen.

'Kaatje bij de sluis' met een mandje kruiden en vruchten.

Blokzijl is met de auto te bereiken door vanuit Emmeloord/ Marknesse de N331 aan te houden of door vanuit Steenwijk de N333 te volgen. Vanuit Emmeloord en Steenwijk rijden er bussen; de trein rijdt niet verder dan Steenwijk. Over het water is Blokzijl te bereiken via het Ketelmeer, Zwartemeer en Vollenhoven.

Broek in Waterland

In de 18de eeuw werd Broek in Waterland internationaal geroemd als het 'rijkste en schoonste dorp van Holland'. Met 'schoonste' wordt hier 'properst' bedoeld. De schoonheid heeft Broek behouden, hoewel wij er de uitleg aan geven dat het oogstrelende schoonheid betreft. Broek in Waterland, dat op tien kilometer ten noorden van Amsterdam ligt, is ontegenzeggelijk een van de mooiste dorpen van Nederland. In de Gouden Eeuw was het de woonplaats van kooplui, reders en zeevaarders. Broek had zelf geen zeehaven, het lag aan een meer dat via binnenwateren in verbinding stond met het IJ. Het dorp was over water met kleine vaartuigen of langs smalle voetpaden te bereiken. In Uitdam had het zijn eigen vissershaventje.

De Broekers werden rijk van de handel met en zeevaart op de Levant en Indië. Stenen huizen kon de slappe ondergrond niet dragen, daarom lieten de inwoners degelijke houten huizen bouwen, grijs- en groengeschil-

derd en met gesneden kuiven en omlijstingen van de deuren. Niet te protserig, want hun gereformeerde achtergrond belette hen om te uitbundig te doen. Napoleon logeerde in Broek en was, in tegenstelling tot zijn mening over de rest van ons land – dat hij misprijzend 'een aanslibsel van de grote rivieren' noemde – gecharmeerd van de glimmende huizen, de tuintjes met keurig geschoren hagen en de altijd schoongeschrobde straatjes. De Broekers waren vroeger zo zindelijk, dat men niet in de pronkkeuken kookte, omdat die brandschoon moest blijven, en op straat mocht men zelfs geen pijpje roken.

NEELTJE PATER

Behalve rijk waren de bewoners ook gierig, zo wordt verteld. De bekendste inwoonster die Broek in Waterland ooit heeft gekend was Neeltje Pater (1730–1789). Tot voor kort was in het dorp een restaurant naar haar vernoemd, maar dat is helaas opgedoekt: nu wordt het pand als woonhuis gebruikt.
Neeltje was puissant rijk en is kinderloos gestorven. Redenen genoeg voor roddels. Zo doet het

Vorige pagina: Het Havenrak met theekoepel in Japanse stijl van Broek.
Hieronder: Fietsers passeren de protestantse kerk. Op de achtergrond het voormalige raadhuis.

verhaal de ronde dat zij, om te voorkomen dat haar geld in handen van anderen zou komen, vlak voor haar dood al haar miljoenen in het water van het Havenrak heeft gegooid. Er is echter nooit één muntstuk opgedoken.

Neeltje Pater werd geboren met een 'gouden paplepel', ze trouwde onder huwelijkse voorwaarden met Cornelis Schoon, een vermogende koopman die later burgemeester van Broek werd. Toen hij stierf was zij de enige erfgename. Daarvoor had ze ook al een aanzienlijke erfenis van haar zus ontvangen. Neeltje was actief als koop-

vrouw en reder en waarschijnlijk heeft ze haar rijkdom mede vergaard door schepen van kapers uit te rusten. Een deel van haar bezit had zij bestemd voor een op te richten fonds, waaruit tot in de eeuwigheid jaarlijks een bedrag voor de armen van Broek in Waterland geschonken zou worden. Die 'eeuwigheid' duurde twee eeuwen: toen hevelde de beheerder het vermogen van het fonds over naar de gemeentelijke sociale dienst. Maar waar is de rest van haar vermogen van meer dan viermiljoen toenmalige Hollandse guldens gebleven? Men denkt dat er ook nog geld op de Bank of England staat dat niet is uitgekeerd en dat er meer fondsen waren die

Het graf van Neeltje Pater achter de deuren van de kerk uit 1727.

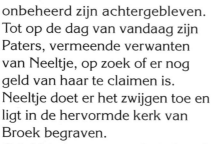

onbeheerd zijn achtergebleven.
Tot op de dag van vandaag zijn
Paters, vermeende verwanten
van Neeltje, op zoek of er nog
geld van haar te claimen is.
Neeltje doet er het zwijgen toe en
ligt in de hervormde kerk van
Broek begraven.
Gelukkig is er nog veel uit de tijd
van Neeltjes gloriedagen
bewaard gebleven. Naast het
bankje in de Dorpsstraat aan het
water van het Havenrak is dat

Het rustieke Broek in Waterland, op
8 kilometer afstand van Amsterdam,
telt maar liefst 381 monumenten.
De in pastelkleuren geschilderde
huizen zijn wegens de slappe
ondergrond overwegend van hout.

goed te zien als je daar de
geplastificeerde gravure 'Gezicht
op Havenrak van Broek' van
Antoine-Ignace uit 1812 bekijkt.
De theekoepel uit 1793 die daarop is afgebeeld, is er nog altijd.

Den Oever

Wanneer vissers met hun garnalenvangst aan de kade van Den Oever aanmeren, is het agressieve gekrijs van meeuwen niet van de lucht. Grote kokmeeuwen proberen elk stukje afval dat de vissers op weg naar de visafslag verliezen, van elkaar af te pikken. Met een uitgestrekte nek zitten ze elkaar achterna; de brutaalste gaat er meestal

Den Oever is de thuishaven van vissersschepen met WR – van de gemeente Wieringen – op de boeg.

met de buit vandoor. Voor meeuwen is de kade dè voedselbank.

De kade van Den Oever is ook de plek voor mensen om vis te eten: aan de kar, uit het vuistje, of in een van de visrestaurants met mes en vork.

Vanuit de Oosthaven vertrekt men om te gaan wadlopen; men kan er ook de boot nemen voor een avontuurlijk reisje over het wad, om te sportvissen of om op de drooggevallen zandplaten zeehonden te gaan bekijken.

De korenmolen 'De Hoop', Hofstraat 57, is open voor bezichtigingen.

GASTHUISKAPEL

Den Oever maakt deel uit van de gemeente Wieringen. Op kaarten uit de 17de eeuw is te zien dat Wieringen toen nog een eiland was, strategisch aan de drukke scheepvaartroute tussen de Waddenzee en Zuyderzee gelegen. Bemanningsleden die door gebrek aan vitamine C aan schorbuck (scheurbuik) leden of dysenterie, tropenkoorts, malaria of een andere vreemde ziekte onder de leden hadden, werden bij Den Oever aan land gezet. In het hospitaal (gasthuis) naast de Sint-Elisabethkapel werden ze in quarantaine gehouden en als ze daar levend uitkwamen, werden ze weer op de schepen tewerkgesteld. De Gasthuisweg in Den Oever is het enige wat uit die tijd tastbaar is overgebleven.

De vroegere gasthuiskapel, gewijd aan de heilige Elisabeth, en het oude postkantoor van Den Oever zijn afgebroken en in het Zuiderzeemuseum van
➤ Enkhuizen herbouwd. Daar zijn ze een van de bezienswaardigheden.

Op de haven, de korenmolen De Hoop (uit 1652) en het VIC (Vikingen Informatie Centrum, Havenweg 1) na, is er in Den Oever niet veel te bekijken. Eind augustus/begin september wordt tijdens de Flora- en Visserijdagen in Den Oever kermis gehouden, dan valt er wel wat te beleven. Voor de rest van het jaar zorgen vooral de meeuwen voor reuring in de haven.

Het busstation van Den Oever ligt aan de A7 voor/na de Afsluitdijk.

Durgerdam

De ontstaansgeschiedenis van Durgerdam is te danken aan het naburige ⇥ Ransdorp Daar besloten de lokale bestuurders, na de verwoestende Sint-Elisabethsvloed van 1421, om een dam van Ransdorp naar het eilandje IJdoorn in de Zuiderzee te maken om daarmee meer veiligheid te verkrijgen. Aan de IJdoornickerdam ontstond een nederzetting waarvan de naam verbasterd werd tot Durgerdam. Aan de oude Zuiderzeedijk werden de huizen, zoals de meeste huizen in Waterland, uit hout opgetrokken, omdat dit materiaal minder snel in het slappe veen wegzakt. Men ging zich toeleggen op de haring- en ansjovis vangst, de handel werd in het nabijgelegen Amsterdam op de markt gebracht. En dat floreerde: in de periode van bloei bestond de vissersvloot van Durgerdam uit 75 botters. De schepen voerden met de letters RD in het zeil, de initialen van Rans-

De bocht in de Durgerdammerdijk langs het Buiten-IJ met in de verte 'de Kapel'.

dorp, de gemeente waar Durgerdam immers jarenlang onder viel.

BOTKLOPPEN

Het leven van een visserman was hard. Wanneer er 's winters niet kon worden gevaren omdat de Zuiderzee bevroren was, moest er toch brood op de plank komen. De vissers gingen dan 'botkloppen': ze trokken met een slee het ijs op, hakten met een bijl bijten in het ijs en spanden met behulp van lange palen netten onder het ijs. Vervolgens liet men met een harde dreun een dikke balk op het ijs vallen. De botten, platvissen die op de bodem van de zee rustten, raakten daardoor in paniek, zwommen alle kanten op en belandden in de netten.

Het botkloppen was zwaar werk en niet zonder gevaar. Dat ondervonden Klaas Bording en zijn twee zoons, Klaas en Jacob, toen ze tijdens de strenge winter van 1849 vanuit Durgerdam het ijs van de Zuiderzee waren opgegaan. Toen na een dag met goede vangst de schemering inviel, besloten ze ondanks de striemende regen nog even door te gaan. Toen ze uiteindelijk in het donker naar huis wilden terugkeren, merkten ze tot hun schrik dat door dooi en de wind de grote ijsvlakte waarop ze zich

Klaas Bording en zijn twee zonen op een ijsschots.

bevonden, was losgeraakt – het begin van een erbarmelijke dwaaltocht over de Zuiderzee. De wisselende wind dreef de ijsschots met de drie vissers langs Enkhuizen en de eilanden Urk en Schokland. Pas na veertien dagen werd hun hulpgeroep in Vollenhove gehoord. Net op tijd konden de uitgeputte mannen met een roeiboot worden gered; meteen daarna verdween de ijsschots met slee en al onder water. Spoedig daarna bezweken vader Bording en de oudste zoon alsnog aan de doorstane ontberingen. De zee geeft, de zee neemt, duidelijker is dit gezegde nauwelijks te illustreren...

Na de afsluiting van de Zuiderzee was het afgelopen met de visserij, in de oude haven liggen nu geen botters voor de visvangst

De Durgerdammerdijk scheidt de houten huisjes en de jachthaven.

meer, maar zeilboten en plezierjachten.

Durgerdam is een lintdorp, de huizen met puntgevels zijn over een afstand van een kilometer tegen de dijk aan gebouwd.

KAPEL

Opvallend is het witte vierkante houten gebouw met koepeltoren op de uitspringende hoek van de dijk. Deze kapel uit 1687 werd in de loop der jaren als raadhuis, school en visafslag gebruikt en had twee 'petoeten' (cellen). Naast de kapel was een werf en daar is nu de jachthaven.

Iets verderop staat in de polder een hek waarop geschreven staat 'polder IJdoorn'. In de verte is het ijzeren raamwerk van de vuurtoren te zien. Helaas is dit verboden gebied, het is eigendom van Natuurmonumenten, maar soms worden er excursies gehouden. In de polder ligt op een eilandje een vervallen fort, onderdeel van de Stelling van Amsterdam, de 19de-eeuwse verdedigingslinie van dijken en forten (eiland Pampus) en kazematten rond Amsterdam. De bedoeling was dat wanneer een vijand in aantocht was, het omliggende land van de linie onder water zou worden gezet. Het is nooit zover gekomen. De Stelling van Amsterdam staat op de Werelderfgoedlijst van de Unesco.

Edam

Het stadje dankt zijn naam aan de dam in een lang en smal watertje (Ye of E) dat bij Volendam in zee uitmondde.

Een goed vertrekpunt voor een wandeling door deze parel onder de IJsselmeerstadjes is het busstation aan de N247 (Amsterdam–Hoorn). Recht over de brug ligt café-restaurant 'Hof van Holland' (waar men smeuïge, gefileerde paling van een rokerij uit Enkhuizen serveert met schijfjes citroen en verse vruchten).

Op de Schepenmakersdijk ligt, achter een houten hek, het Gemeenlandshuis uit de 18de eeuw met een siertuin met beelden. Vroeger was hier een scheepswerf, nu dient het gebouw als kantoor van het Hoogheemraadschap. Aan de overkant van het water staan twee theekoepels.

Over de Kwakelbrug ligt recht voor ons de scheve Speeltoren met carillon (1561) en rechts

Theekoepel en de houten 'Kwakelbrug'. Vanaf deze wipbrug heb je een mooi uitzicht op de scheepswerf 'Boerenverdriet' en de Speeltoren.

een scheepswerf. Edam had in de 16de eeuw wel 33 scheepswerven. Daar werden vele oorlogsschepen gebouwd. Zo ook het admiraalsschip 'De Zeven Provinciën' waarop Michiel de Ruyter de zeeslagen tegen de Engelsen voerde.

KAASWAAG

Aan het einde van de Kwakelsteeg ligt de Kaasmarkt; op de hoek staat de Kaaswaag uit 1778. In juli en augustus worden op woensdagmorgen de bolronde Edammer kaasjes op het marktplein uitgestald. Na keuring door handelaars worden de kazen, zoals dat tot 1922 toeging, op berries door kaasdragers in hun traditionele witte kle-

ding en strooien hoed met de kleur van hun gilde naar de weegschaal in de waag gedragen.

Niet ver van de Waag, aan de rand van Edam, staat de Grote of Sint-Nicolaaskerk uit de 15de eeuw. De kinderoppas en minnares van Rembrandt, Geertje Dircks, ligt hier begraven – althans er is een grafsteen met haar naam.

De toren is op zondag te beklimmen, maar de houten trap langs de kerkklokken naar

Kaasdragers vervoeren op 'berries' de Edammertjes van de kaaswaag. Sinds de middeleeuwen wordt de ronde kaas naar het buitenland uitgevoerd, vandaar dat buitenlanders ons 'kaaskoppen' noemen.

boven is voor mensen die last
van hoogtevrees hebben wel
een obstakel. Aan de overkant
van de kerk is het Proveniers-
huis, een hofje dat in 1555 is
gesticht. Wat eens een bleekveld voor de bewoonsters was,
is nu bloementuin.
Via de Prinsenstraat komt men
op het Damplein. Het gebouw
met de toren is het oude postkantoor, daarvoor de Boter-
markt. De houten overdekte hal
heet de 'beurs' en is onderdeel
van een café-restaurant. Daar
tegenover staat het deftige
voormalige Stadhuis uit 1737
met in de gevel het wapen van
Edam, een stier in een rood
veld. De Raadzaal was vroeger
Schepenzaal. Nu kun je er trouwen.

EDAMS MUSEUM

In het gebouw is ook de VVV
gehuisvest en het depot van het
Edams Museum.
Het depot heeft een collectie
schilderijen over het leven in
vroeger tijden rond het IJsselmeer, zoals 'De dag voor de sluiting der Zuiderzee', van Johan
Hendrik van Mastenbroek
(1875–1945). Er hangt ook een
groot doek van Jan Molenaar uit
1682 waarop een rijke Edammer
aan zijn dochter en haar verloof-
de alle 92 schepen toont die op
zijn werf zijn gebouwd.
Het museum heeft een stijlkamer
met onder andere geglazuurde
borden met afbeeldingen die
betrekking hebben op de walvisvaart en een schilderij van een

onbekende schilder, voorstellen-
de Trijntje Cornelisdochter Kever
(1616–1633). Zij wordt ook wel
'de Grote Meid' genoemd. En
inderdaad: dat mag je wel zeggen. Trijntje was 'negen voet en
drie duim lang' en dat is gelijk
aan 2,60 meter. Trijntje reisde
het land door om zich tegen
betaling te laten bekijken. Onder
het schilderij staan in een glazen
kistje haar op maat gemaakte
schoenen te pronken: 32 cm
lang!
Met hetzelfde toegangskaartje (3
euro) kun je ook het Edams
Museum op het Damplein 8
bezoeken. Dit oudste stenen huis
van Edam met trapgevel
(omstreeks 1530) behoorde toe
aan een kaashandelaar. In het
voorhuis hangen twee levensgro-

Levensgrote portretten van twee
beroemde inwoners van Edam:
Burgemeester Pieter Dirckx
Langebaard en Trijntje Cornelisdochter
Kever, alias de Grote Meid.
Volgende pagina: De Damsluis, met
achter de brug het Edams Museum.

te portretten van de hand van
dezelfde schilder-zonder-naam
die Trijntje vereeuwigde. Het ene
is dat van burgemeester Pieter
Dirckz. Langebaard
(1525–1606), die zijn 2,5 meter
lange baard als extra bron van
inkomsten voor het Edamse
weeshuis exploiteerde. Naast
hem hangt Jan Claesz., de dikke
kastelein van het herenlogement
die niet minder dan 455 pond
woog. En dan te bedenken dat
men vroeger stukken kleiner was

dan nu, getuige de afmeting van
de bedstee in de opkamer.
In de Breestraat, op de hoek met
de Eilandsgracht, staat het oudste houten huis van Edam. Het is
omstreeks 1530 gebouwd en het
is bijzonder dat het de vele bran-
den die het stadje in de loop der
eeuwen hebben geteisterd, heeft
overleefd.
Als je van hier teruggaat naar de
Voorhaven kom je (aan de linkerkant van het grachtje) langs
imponerende geveltjes en
ophaalbruggetjes. Aan de overkant, op nummer 129, is een
kaaspakhuis. Hier liggen de
goudgele Edammer kazen te 'rij-
pen'. Op woensdagen en vrij-

Boven de ingang van het Gemeenlandshuis op de Schepenmakersdijk
bevindt zich een gesneden sierstuk
met het gemeenlandswapen tussen
dolfijnen en bekroond met een
konings- en keizerskroon.

dagmiddag kan men ze daar ook
proeven.
Zo kom je weer in het hart van
Edam, de Dam, met de stenen
hoge brug met banken. Bij de
sluis zijn in de kademuur twee
wapenstenen gemetseld. Ze zien
eruit als nieuw, maar dateren uit
de 16de eeuw. Het zijn de
wapens van de dijkgraaf en de
hoogheemraden.

Elburg

In de zomermaanden trekt Elburg veel toeristen en vrijwel iedereen gaat eerst via de Vischpoortstraat naar de 14de-eeuwse Vischpoort. Tot eind jaren zeventig van de vorige eeuw was de Vischpoortstraat nog een rustige winkelstraat waar kleine neringdoenden op klandizie wachtten. De manufacturenwinkel verkocht damesschorten, de schoenmaker hield zich aan zijn leest en de koopwaar van de sigarenboer bestond voornamelijk uit pijp- en pruimtabak. In de etalage van de *Elburger Courant* hing het laatste nummer. Na de opbloei van het toerisme zijn de meeste winkels vervangen door horecagelegenheden, boetieks en moderne tijdschriftenzaken. Het plaveisel (kinderhoofdjes) in de lijnrechte straat is niet vervangen en ook de authentieke stoepjes met een afbeelding in zwarte en witte kiezels van vroegere bezitters van de panden zijn intact gebleven. De plattegrond van Elburg heeft de vorm van een rechthoek. In de middeleeuwen lag het stadje dichter aan de voormalige Zui-

derzee, maar vanwege de geregeld terugkerende overstromingen werd het stadje landinwaarts verplaatst. Om de stad werd een ringmuur gebouwd met twintig rondelen en vier poorten. De Vischpoort is van oorsprong geen poort maar een vierkante verdedigingstoren.

Elburg werd een belangrijke handelsstad, lid van het machtige verbond van Hanzesteden. De rijkdommen van de Gouden Eeuw zijn echter Elburg voorbijgegaan.

Eind 16de eeuw werd in de Vischpoort een doorgang naar

zee gemaakt en sedertdien diende hij als stadspoort. Het waren de jaren van de teloorgang van Elburg: Hollandse handelssteden namen de handel van de oostelijke Nederlanden over en Elburg werd een vissersplaats waar armoe troef was.

Het stadje heeft inmiddels een grondige restauratie ondergaan en is in zijn oude glorie hersteld. De veertig meter hoge Grote of Sint-Nicolaaskerk steekt boven alles uit, hoewel de torenspits door blikseminslag en de daaropvolgende brand (1693) ontbreekt. Deze hervormde kerk was aanvankelijk gewijd aan de roomse heilige Nicolaas, de schutspatroon van zeelieden en vissers.

Het voormalige St.-Agnieten- of Jufferenklooster stond na de beeldenstorm leeg en deed later dienst als werkplaats en pakhuis. Tegenwoordig zijn er het gemeentehuis en het gemeentemuseum in gevestigd.

VISCHPOORT

De Vischpoort is niet het mooiste bouwwerk van Elburg, maar heeft altijd wel een belangrijke rol voor de bewoners en voor het

De Grote of Sint-Nicolaaskerk waarvan de torenspits ontbreekt.
Volgende pagina: De beroemde Vischpoort.

stadje als geheel gespeeld. De Vischpoort en de aangrenzende kazematten zijn de oudste delen van de ommuring.

Toen aan het eind van de 16de eeuw de draagwijdte van moderner geschut groter werd, moest de vesting Elburg beter worden beschermd tegen aanvallen van de Spaanse troepen. Er werd een buitengracht gegraven met daarlangs een aarden wal met vier hoekbastions en naast de Vischpoort bouwde men kanonkelders. Deze kazematten zijn te bezichtigen, net als het visserij-

In het voormalige Agnietenklooster (Jufferenstraat 6-8) is nu het gemeentemuseum gevestigd. *Rechterpagina:* De oude Zuiderzeehaven van Elburg.

museum in de Vischpoort. Links van de poort is de oudste (1560) nog werkende touwbaan van Nederland. Van hennep kon je daar een ankertros laten maken die minstens zo sterk was als een ankerketting.

Aan de zeekant van de Vischpoort is in de spits een grote lantaarn die als vuurtorenlicht diende; aan de andere kant hangt een bel die werd geluid om reizigers te waarschuwen dat het beurtschip naar Amsterdam ging vertrekken.

In het haventje liggen diverse typen gerestaureerde vissersschepen met het kenteken EB van Elburg op de boeg, de laatste vissers kunnen via het kanaal het Veluwemeer bereiken. Naast paling viste men vroeger ook op

bot, garnalen en zuiderzeeharing die gedeeltelijk tot bokking werd gerookt. De handel werd 's avonds met paard en wagen naar Deventer, Zutphen en Arnhem vervoerd om daar in alle vroegte op de vismarkten te worden afgeleverd. De palingrokerijen zijn in Elburg gebleven.
De VVV heeft een stadswandeling uitgezet die langs de interessantste plekken binnen de muren van Elburg leidt.

Op de A28 is er bij 't Harde een afslag naar Elburg. Daar is ook een NS-station. Wie van daaruit naar Elburg wil zal zijn eigen ver-

Links: Het Weduwenhofje anno 1650 in de Zuiderkerkstraat. *Rechts:* De voormalige synagoge in de Jufferenstraat en daaronder een mozaïek in zwarte en witte kiezels voor een kapperszaak.

voer moeten regelen of er een wandeling van zeven kilometer langs het fietspad naast de N309 voor over moeten hebben want er rijdt geen bus. Vanuit Harderwijk en Kampen gaan er wel bussen naar Elburg. Over het water is Elburg te bereiken via het Veluwemeer, Ketelmeer of Drontermeer.

Enkhuizen

In 1355 verleende hertog Willem van Beieren en graaf van Holland stadsrechten aan Enkhuizen. De bewoners waren over het algemeen vissers en zeevarenden of ze verdienden hun brood met handel die aan de zeevaart gerelateerd was.

Tijdens de Tachtigjarige Oorlog was Enkhuizen de belangrijkste oorlogshaven van de geuzen aan de Zuiderzee. Op 11 oktober 1573 vond de Slag op de Zuider-

De Butsekop draait na de ophaalbrug langs de achterhuizen van de 'Bocht'.

zee plaats, tussen de watergeuzen (die aan de kant van Willem van Oranje stonden) en de Spaanse vloot (geleid door Bossu). Na 24 uur moest Bossu zich overgeven. Daarmee werd voorkomen dat de Spaanse koning Philip II Amsterdam over zee zou kunnen aanvallen.

In de Gouden Eeuw groeide Enkhuizen uit tot een welvarende wereldhaven met 40.000 inwoners. De Oost- en West-Indische Compagnie hadden er hun 'kamers' en opslagplaatsen. Kaartenmakers maakten nauw-

Boven: Het pakhuis met het monogram van de VOC-kamer Enkhuizen aan de Oosterhaven bij avondlicht in de winter.

Onder: Het Peperhuis aan de Wierdijk, onderdeel van het Zuiderzeemuseum.

keurige zeekaarten, scheepmakers ontwierpen moderne schepen, zoals de 'fluit', een schip met veel laadruimte.

De grootheid van weleer is de stad nog aan te zien, de historische gebouwen stralen allemaal welvaart uit. En hoewel Enkhuizen tegenwoordig geen plaats van grote betekenis meer is, is het bepaald geen ingedut stadje.

De NS heeft in Enkhuizen een kopstation, tegenover het station en de parkeerplaats is het kantoor van de VVV, daar kun je de kaarten voor de zomerse veerdiensten naar Medemblik, Stavoren en Urk kopen. De boten vertrekken vanuit de Spoorhaven, links daarvan ligt de oude vissershaven, die tegenwoordig als jachthaven wordt gebruikt.

DROMEDARIS

Wie Enkhuizen aandoet kan niet om de stoere Dromedaris heen: de stadspoort uit 1540 imponeert en geeft je het gevoel dat de stad een rijk verleden heeft gekend. Staande voor het poortje van het ronde verdedigingswerk heb je een mooi doorkijkje naar de ophaalbrug van het Zuiderspui. De brug gaat regelmatig omhoog om zeilers en jachten die het IJsselmeer hebben verlaten, of er juist naar toe gaan, te laten passeren. Rechts van de Dromedaris is de oude zeesluis en aan het water liggen de schilderachtige achterhuizen aan de Bocht. Menigeen zal het tafereel

herkennen van 'Mooi Nederland'-kalenders.
Op het grasveld staat het beeld
van de schilder Paulus Potter
('De Stier van Potter', zijn
bekendste schilderij, hangt in het
Mauritshuis in Den Haag) en
naast het grasveld ligt het kleine
museum van de *Enkhuizer
Almanak*. Al meer dan vierhonderd jaar wordt dit jaarboek, met
op de omslag een tevreden kijkend vissermannetje lezend in
het boekje, uitgegeven. Naast
het kalendarium, watergetijden
en Enkhuizer Wijsheden (knel-
lende schoenen: giet er een
glaasje alcohol in. Na de behan-
deling meteen instappen en een
wandeling gaan maken van ten
minste twee uur; de schoen past

Paulus Potter met tekenblok schetst
het poortje uit 1540 van de Dromedaris
met doorkijkje naar de ophaalbrug
over het Zuiderspui.

zich aan aan de vorm van de
voet), is in elk nummer de
weersvoorspelling volgens oud
volksgeloof opgetekend, zoals:
'Regent het op Sint-Margriet,
krijgen we zes weken een natte
tied'. En al komen niet àlle voor-
spellingen uit, het is wel leuk om
ze te lezen.
Enkhuizer Almanak Museum,
Havenweg 3a. Entree: vrijwillige
bijdrage. Liefhebbers van fles-
senscheepjes, kunnen terecht in
het Flessenscheepjesmuseum,
Zuiderspui 1.

ZUIDERZEEMUSEUM

Wil je vanaf de Dromedaris naar het Zuiderzeemuseum, ga dan de brug over het Zuiderspui over en sla rechts de Bocht in, een straatje met oude geveltjes, waar men vis kan eten. Via de Wierdijk en langs de stadswal komt men dan bij de gebouwen van het binnenmuseum met aan het eind op de hoek het Peperhuis, het voormalige pakhuis van de VOC. Op de gevel staat de wijze spreuk: De Cost gaet voor de baet uit.

Iets verderop ligt het buitenmuseum. Met hetzelfde entreebewijs kun je beide onderdelen bekijken en het geldt ook als vervoerbewijs voor de museumveerboten van en naar de VVV in Enkhuizen. Terug kun je de boot bij de kalkovens oppikken.

Via het buitenmuseum kun je afdalen naar het haventje. Daar ruikt het lekker naar teer. In het haventje van het museumdorp dobberen verschillende vracht- en vissersschepen die ooit over de Zuiderzee voeren, netten hangen op de kade te drogen en een visserman is bezig de netten te boeten. De scheepshelling die er te zien is, stond oorspronkelijk in Marken. Ook zijn er verschillende vissershuisjes die van de sloop gered zijn en hier zijn herbouwd en opgeknapt. Aan de buitenkant van één van die huis-

jes hangt een oud reclamebord van hotel Spaander uit Volendam dat ons laat weten dat het hotel beschikt over een 'wachtkamer voor trekschuit en tram'.

Het leuke is dat er verspreid over het terrein demonstraties in oude ambachten worden gegeven. Het is alsof de tijd er heeft stilgestaan. We noemen niet alles op wat er te zien is, ga zelf maar eens kijken, het is de moeite waard, vooral voor kinderen.

In het buitenmuseum demonstreert een visserman het boeten van zijn netten. Na afloop wenst hij de bezoekers 'een behouden vaart...'

Harderwijk

De Zuiderzee was één van de visrijkste wateren van Europa. In het voorjaar kwamen grote scholen haring door de zeegaten tussen de Waddeneilanden naar de Zuiderzee om kuit te schieten en in Harderwijk, zo zei men, kon je de haring zo uit zee scheppen.

Soms zagen de vissers plots veel meeuwen aan de horizon die op de kleine, opgejaagde visjes afkwamen. Dan waren er bruin-vissen in de buurt; de bruinvissen joegen de haringen achterna. Soortgenoot van de bruinvis is de dolfijn. In het Dolfinarium in Harderwijk slaakt het toegestroomde publiek bewonderende kreten wanneer een dolfijn een kunstje laat zien en daarvoor beloond wordt met een visje. De

De Vis(ch)poort gezien vanaf de Vismarkt. De poort was onderdeel van de middeleeuwse ommuring.

aalbaarheidsfactor van dolfijnen
met hun guitige snoet is nu eenmaal groot.
Vroeger werd er niet alleen op
haring gevist, maar ook op
ansjovis, bot, garnalen en paling.
De meeste haringen werden
gerookt en als bokking verkocht.
De haring uit de Zuiderzee was
niet erg geschikt om te kaken; ze
werd week en zacht, in tegenstelling tot de noordzeeharing.
De levende palingen werden in
een vat met zout gedaan waar ze
'vanzelf' doodgingen, daarbij
ging ook de slijm eraf. De vis
werd daarna in helder water
schoongespoeld, aan stalen pen-

nen (door de kieuwen) geregen
en in rokerijen gerookt.

De kust voor Harderwijk was
ondiep en de vissers moesten
oppassen dat het zwaard van
hun platte botters niet op zand-
banken of de schelpenbank de
Knar vastliep. Niet zelden
gebeurde het dat een plotseling
uitschietende wind de zeilen plat
op het water drukte. Het schip
richtte zich meestal wel weer op
maar men moest met man en
macht het water uit de boot
scheppen.
De meeste vissers konden niet
zwemmen en droegen geen red-

dingsvesten. Wie overboord sloeg was meestal aan de golven overgeleverd. Maar ook als het schip met gestreken zeilen voor anker lag, loerde het gevaar. In het boek *Zwervend langs het IJsselmeer* vertelt een schipper een tragikomisch verhaal: hoe hij op een kwade dag een dutje deed terwijl zijn knecht zijn behoefte ging doen. 'Hij had z'n broek al van z'n kont af en hield met zijn hand de giek buitenboord vast'. Dat was een beproefde manier. Maar toen de schipper wakker werd, bemerkte hij tot zijn schrik dat de knecht al poepend zijn evenwicht had verloren en was verdronken.

In de vroege middeleeuwen was Harderwijk niet meer dan een beschutte plek voor herders die langs de Zuiderzee hun kudden weidden. Onder bescherming van de graven en hertogen van Gelre groeide de nederzetting uit tot een handelsstad van belang. Harderwijkse koopvaarders voeren onder de Hanzevlag naar de Oostzeelanden.
In 1372 werd er de Latijnse School gesticht die in 1600 door prins Maurits tot universiteit werd verheven. Boerhaave promoveerde er in 1693 en Linnaeus in 1735. Aan het begin van de 19de eeuw bestond er voor de beroemde universiteit van weleer – waar volgens zeggen voor een doctorsbul weinig kennis nodig was, maar wel veel geld – nauwelijks nog belangstelling en ze werd door Napoleon opgeheven. Al zijn veel mooie gebouwen uit de bloeitijd van Harderwijk gesloopt, in het oude centrum is nog heel wat te bekijken. De hervormde Grote Kerk is een machtig bouwwerk, waarvan het oudste deel mogelijk nog 14de-eeuws is. De hoge toren is in 1797 ingestort en nam in zijn val het grootste deel van het kerkschip mee.

VISPOORT

Waar nu de boulevard langs de randmeren ligt, kwamen vroeger de botters bij de Vispoort aanleggen om hun vis te verhandelen op de Vismarkt. De Vispoort was onderdeel van de middeleeuwse verdedigingswerken; een deel van de stadsmuur is gespaard gebleven. De witgekalkte muurhuisjes die tegen de Vispoort en de stadswal aan zijn gebouwd, werden in het verleden bewoond. In één zo'n bekoorlijk huisje leefde vaak een gezin van veertien personen! Boven op het dak van de Vispoort staat aan zeezijde een licht voor de scheepvaart.

DE HOOP

Rechts van de boulevard staat aan het eind van de jachthaven de stellingmolen 'De Hoop'.

Eigenlijk stond deze molen bekend onder de naam 'De reus van Weesp', maar die was onttakeld en omdat 'De Hoop' in Harderwijk (in 1969) was afgebrand werd de molen uit Weesp naar hier gebracht en na restauratie weer opgebouwd. Zo is sinds 1998 ook de aaibaarheidsfactor van Harderwijk verhoogd...

Het Dolfinarium is het grootste zeezoogdierenpark van Europa en is van medio februari t/m 28 oktober geopend. Je kunt er zeker een leuk dagje doorbrengen.

Harderwijk heeft een NS-station en is een regionaal knooppunt voor busdiensten. Met de auto is de stad via de A28, N302, N303, N310 makkelijk te bereiken. De N302 gaat vanuit Harderwijk een stukje over de Knardijk om via het Aquaduct Veluwemeer in Flevoland te komen. Bereikbaarheid over het water: Aan het Veluwemeer/Wolderwijd is de haven van Harderwijk gemakkelijk te vinden: die ligt naast het Dolfinarium.

Hindeloopen

Hindeloopen (Hylpen) is een van de Friese elf steden. Het stadje was al in 799 bekend en kreeg in 1225 stadsrechten. Hindeloopen, dat nog geen 1000 inwoners telt, was tot 1984 een zelfstandige gemeente; toen ging het samen met Workum, Stavoren en een groot deel van Hemelumer Oldeferd

Brug over de sluis met daarachter het 'Sylhues', het huis van de sluiswachter uit 1619 met (niet zichtbaar) de leugenbank en de gedenksteen van 'de wonderbaarlijke visvangst van Petrus'.

op in de nieuwe gemeente Nijefurd.

Hoewel Hindeloopen geen haven had maar slechts een rede in de Zuiderzee, was het lange tijd een belangrijke hanzestad en vissersplaats. Tot in de 18de eeuw was het stadje de zetel van de Oostzeevaarders, die in Amsterdam hun thuishaven hadden.

De grote bloeiperiode van het stadje lag tussen 1650 en 1790, toen Hindeloopen een grote vloot bezat van ruim tachtig schepen. Aan de kapitale 17de en 18de-eeuwse kapiteinshuizen

is nog te zien hoe rijk de Hindelooper 'grootschippers' waren
die vanaf het vroege voorjaar tot
de herfst met hun handelsschepen de zeeën bevoeren.

LIKHÛZEN

Die huizen werden alleen
bewoond als de kapitein zelf
thuis was; was hij op reis dan
woonden vrouw en kinderen
doorgaans in het zogenaamde
likhûs, een losstaand zomerhuis-
je achter op het erf van de kapi-
teinswoning. Dat deed men

Linkerpagina: Kerkhof bij de Grote
Kerk met de Westertoren.
Hieronder: Hindeloopen heeft tal van
schilderachtige commandeurswoningen en zogenaamde 'likhûzen'.

omdat zo'n huisje makkelijker
schoon te houden was; het had
één kamer met bedstee, een
schouw met kookgelegenheid en
wat eenvoudige meubels. Deze
huisjes lagen aan de waterkant
met een bleekveld voor de was.
Hindeloopen is o.m. bekend om
zijn klederdracht, die – en dan
vooral de vrouwendracht – sterk
afwijkend was van de Friese. De
Hindelooper vrouwen maakten
daarbij gebruik van de prachtige,
kleurige stoffen die hun mannen
meebrachten van hun lange reizen naar Indië. Ook de houten
meubelen met hun typische
beschilderingen hebben alles
met de zeevaart te maken. Ze
werden oorspronkelijk vervaardigd door de zeelieden die in de
wintermaanden thuiszaten. Bij

de beschildering maakten ze gebruik van kleuren en motieven die ze in de Scandinavische landen, waar ze het hout kochten, hadden gezien.

De vrouwen uit Hindeloopen stonden bekend om hun overdreven schoonmaakdrift en bedilzucht. Geen wonder dus dat de zeelieden tijdens de 'winterstop' met enige regelmaat hun huis wilden ontvluchten: ze zochten elkaar op bij de 'Leugenbank' bij de sluis, om als mannen onder elkaar wel en wee te

In de schaduw van de loods van het reddingswezen kijken mannen uit op het IJsselmeer. Binnen staat de reddingsboot altijd klaar om uit te varen.

bepraten. Bij het gezichtsbepalende sluiswachtershuis (het Sylhues) met de houten klokkentoren uit 1785, is de Leugenbank nog altijd aanwezig. Boven het afdakje van de bank is een gevelsteen die de 'wonderbaarlijke visvangst van Petrus' uit het Nieuwe Testament voorstelt. Wat er vandaag de dag door de mannen op leeftijd op de Leugenbank allemaal wordt besproken is door de sterk van het Fries afwijkende streektaal voor buitenstaanders niet te volgen, maar een terugkerend onderwerp zal zeker de Elfstedentocht zijn: komt-ie er dit jaar, of komt-ie er niet. Hindeloopen is immers één van de elf steden die de tocht aandoet.

Vanaf de Sylbrêge, de ophaalbrug aldaar, is het makkelijk een stadswandeling te starten. Sla dan de Kalverstraat in en loop door tot je links een wipbrug met oorgat ziet. Vanaf die brug, die in het middendeel open kan zodat botters en aken met staande mast er door kunnen varen, heb je een fotogeniek uitzicht op de achterkant van het Sylhues. De commandeurswoningen en de likhûzen zijn na het volgende grachtje goed te bewonderen

Wat Hindeloopen zo aardig maakt, zijn de straatjes waarvan het plaveisel grotendeels bestaat uit ronde Noorse keitjes. Oorspronkelijk dienden die als ballast voor de schepen; de mooiste gladde stenen werden uitgezocht om ze voor de straatjes te gebruiken.
De straatjes herbergen verschillende ateliers waar in de karakteristieke Hindelooper kleuren (rood, zwart, groen) houten gebruiks- en siervoorwerpen worden vervaardigd.
Aan de Dijkweg torent de windvaan in de vorm van een fluitschip boven op de Westertoren hoog boven het stadje uit en is daarmee een baken op zee. Van de in oorsprong tweebeukige hallenkerk bleef door afbraak van de zuidbeuk in 1892 een enkelvoudig schip over. De

ingangsportalen met frontons werden door Claes Lykes vervaardigd (1658). Bij het pleintje rond de kerk is het charmante voormalige raadhuis uit 1680 met het stadswapen. Daar werd ook recht gesproken; wie iets op zijn kerfstok had, werd buiten aan de schandpaal te kijk gezet. Nu is in het gebouw het Hidde Nijland museum gevestigd, daar is meer van de vergane glorie van het stadje te zien. Verder is alles over schaatsen en de Elfstedentocht in het Eerste Friese Schaatsmuseum (Kleine Weide 1-3) te vinden.
Bij de Nieuwe Weide werden op het Vondelingenplein in vroeger eeuwen aangespoelde onbekende zeelieden begraven. Op de dijk staat de loods van het reddingswezen, de reddingsboot staat daar altijd klaar om in nood verkerende mensen, meestal zeilers, op het IJsselmeer van een verdrinkingsdood te redden.

Hindeloopen heeft een station aan de spoorlijn Leeuwarden – Sneek – Stavoren. Deze lijn wordt momenteel geëxploiteerd door Arriva.
De jachthaven van Hindeloopen heeft een open verbinding met het IJsselmeer. Naast de 550 ligplaatsen beschikt de haven over uitgebreide faciliteiten.

Hoorn

Een mooi startpunt voor een wandeling door Hoorn is het bus- en treinstation. Vandaar kun je de Veemarkt op lopen, waar je aan de bestrating nog kunt zien dat daar vroeger inderdaad vee-markt werd gehouden. Tegen-woordig staan er nog uitsluitend geparkeerde auto's. Op nummer 4 is het kantoor van de VVV gevestigd.
Als je de Gedempte Turfhaven oversteekt, loop je de winkel-straat Kleine Noord in, gevolgd door de Grote Noord, om uit te komen bij het plein de Rode Steen.

WESTFRIES MUSEUM

Midden op het plein staat een standbeeld van Jan Pieterszoon Coen, een van onze zeehelden en stichter van Batavia. Op de sokkel staat gebeiteld: 'Dispe-reert niet', oftewel: wanhoop niet. Dat moet ook de directeur van het Westfries Museum (Rode Steen 1) gedacht hebben toen in

Linkerpagina: Jan Pieterszoon Coen staat pontificaal voor het Westfries Museum te pronken.
Rechts: Front van de Hoofdtoren.

2004 het museum werd beroofd van een deel van zijn collectie. Het gebouw (anno 1632) diende vroeger als Statencollege van de zeven West-Friese steden en van het Hollands Noorderkwartier; hun wapens prijken aan de voor-gevel. Achter die fraaie gevel

van het museum is een verzameling te zien van schilderijen en
archeologische vondsten met
betrekking tot de geschiedenis
van Hoorn en omstreken. Je
kunt er trouwens ook trouwen.
Tegenover het museum staat op
de hoek de Waag met in het front
uit 1609 het stadswapen.
Als je de Grote Oost inloopt, een
straat met leuke antiekwinkel-
tjes, kom je op de hoek aan het
eind van de straat (Zon 1) bij het
woonhuis van de geplaagde
museumdirecteur van het Westfries Museum. Bel gerust bij hem
aan, hij vertelt je graag meer
over het oude en nieuwe Hoorn.
Loop je rechtdoor de Kleine Oost
in, dan kom je bij de Ooster-
poort, de stadspoort uit 1578.
Terug bij de Grote Oost is de Sla-

Boven: Vanaf de Kaaswaag van
bouwmeester Hendrick de Keyser kijkt
men uit op het plein van de Rode Steen.
Rechterpagina: De Hoofdtoren gezien
vanaf de aanlegsteiger 'het Houten
Hoofd'.

pershaven met de drie Bossu-
huizen. De gevels laten in reliëf
een doorlopend beeldverhaal
zien van de gewonnen Slag op
de Zuiderzee tussen de West-
Friezen en de watergeuzen tegen
de Spaanse vloot onder aanvoe-
ring van de graaf van Bossu (zie
ook onder Enkhuizen).
Als je verder loopt kom je bij de
Oude Doelenkade met monu-
mentale pakhuizen van de VOC
en kaaspakhuizen. Hoorn heeft
niet alleen een belangrijke rol
gespeeld als visserij- en zee-

vaarthandelshaven, maar was ook de handelsstad van producten uit het achterland zoals kaas, groente en fruit. En niet te vergeten de handel in tulpenbollen, handel die in de Gouden Eeuw goud waard was.

DE SCHEEPSJONGENS VAN BONTEKOE

Over de brug met de Binnenkade kom je op de Veermanskade. Daar woonde in een van de patriciërswoningen scheepskapitein Willem Bontekoe, wiens avontuurlijk scheepsverhaal uit 1646 door Johan Fabricius werd bewerkt tot de (verfilmde) bestseller *De scheepsjongens van Bontekoe*. De 'drie jongens' hangen over de kademuur bij de

Hoofdtoren. Deze wachttoren stamt uit 1532 en diende om de handelsschepen te verdedigen. Nu is het een restaurant. Gekoppeld aan de Hoofdtoren is het Houten Hoofd, een aanlegsteiger voor grote schepen.

Tegenover de Hoofdtoren is op de hoek met de Italiaanse Zeedijk café de Volendammer, een bruin café met biljart en door zware shag bijna onzichtbaar geworden schilderijtjes van visserlieden en zeegezichten (tijd voor een kopje koffie of iets sterkers?). Als je vervolgens rechtsaf slaat kom je op een weg die is 'opengesteld voor wandelaars tot een half uur voor zonsondergang'. Het is de weg naar de penitentiaire inrichting Oostereiland. De boefjes hebben daar

In een van deze patriciërswoningen woonde scheepskapitein Willem Bontekoe. 'De jongens van' hangen (*linkerpagina*) over de kademuur.

vanachter de tralies een weids uitzicht op het IJsselmeer.

HOORNSCHE HOP

Lopend langs de Grashaven en de Westerdijk kun je op het water van de Hoornsche Hop de surfers zien scheren. De Hoornsche Hop was een prima ankerplaats, waar schepen goed beschut waren. Hoewel, er worden regelmatig oude scheepwrakken ontdekt. In deze buurt is omstreeks 1300 Hoorn ontstaan. 'Horne' is het middeleeuwse woord voor bocht of hoek.

Op de terugweg naar het Rode Steen, waar in vroeger tijden de boeven werden onthoofd, kun je de Kerkstraat inslaan. Op nummer 39, het voormalige St.-Jansgasthuis en Boterhal, worden exposities van schilders uit Hoorn en omstreken gehouden. Het gebouw uit 1563 heeft een mooie gevel. Daar tegenover staat de Grote Kerk, dit godshuis is nu een warenhuis in babyuitzet en positiekleding...
De Kerkstraat gaat over in de Nieuwstraat. Op de kruising bevindt zich het voormalige Statenlogement uit 1613 met op de dubbele trapgevel weer de zeven West-Friese steden met op elke top een beeldje van stadhouder Prins Maurits.
In de Korte Achterstraat 4 werd

in het Protestants Weeshuis
(1574) de Spaanse vermaledijde
admiraal graaf Maximiliaan van
Bossu drie jaar gevangen gehouden. Naast het aardige ingangs-
portaal uit 1729 is een gedenksteen over Bossu te zien.
Loop verder naar de Gedempte
Turfhaven, waar je op nummer
36 haring kunt proeven bij vishandel Hoogland. Hoewel Hoorn
geen eigen visafslag heeft, is hier
heerlijke haring, paling en
makreel uit eigen rokerij te koop.
In de winkel hangt een foto met
een glunderende Hans Wiegel,
zonder sigaar, die als voorzitter
van de 'Nationale Haringpartij'
de verkoopster feliciteert met de
beste haring van Hoorn. We zijn

De ingang van het voormalige
weeshuis en het poortje van het
Claes Stapelshofje .

het deze keer met hem eens. Het
lekkerste appelgebak bij de koffie is wat ons betreft dat van De
Tuynkamer op nummer 44.
Tegenover de vishandel en de
brasserie is het St.-Pietershofje
uit 1692 dat niet te bezichtigen
is. Nog een hofje is aan het Mun-
nickenveld te vinden: het Claes
Stapels hofje dat een aardig
poortje heeft.
Hierna komt de Spoorsingel in
zicht, waar je bus, trein, of
desnoods de bezemwagen kunt
nemen...

Huizen

Over Huizen kunnen we kort zijn: van het voormalige vissersdorp is zo goed als niets over. De oude haven is er niet meer, de huidige haven is nieuw en rechttoe rechtaan opgetrokken. Alleen het restaurant De Haven van Huizen (1859), met een authentiek houten overdekt terras, en de tot restaurant verbouwde kalkoven zijn gespaard gebleven.

De voormalige kalkovens aan de oude haven worden nu gebruikt als restaurant.

Het gemeentewapen van Huizen toont een melkmeisje met een juk aan de schouders, hetgeen aangeeft dat vroeger landbouw en veeteelt de belangrijkste bron van bestaan waren. Pas in de 19de eeuw, toen er een haven werd gegraven, kwam de visserij tot bloei. Meer dan tweehonderd botters hadden Huizen (HZ) als thuishaven.
Na de aanleg van de Afsluitdijk was het gedaan met de visserij. En hoewel niet direct oorzakelijk verband met elkaar hebbend, stierf het dragen van de Huizer

Last van zadelpijn? Even bijkomen op een stenen bankje aan het Gooimeer.

klederdracht (op één na) uit. Mannen in klederdracht waren er allang niet meer; de vrouwen hielden het nog een tijdje vol. De laatsten droegen de 'rouw'-uitrusting van de klederdracht. Je kunt met de *Aqualiner* het

Gooimeer naar Almere oversteken (van 5 april tot 15 oktober). In het haventje van Huizen liggen jachten en zeilboten te dobberen, maar het blijft er tobben. Het achterland is aantrekkelijk, maar je moet wel door een naargeestig vervallen industrieterrein om daar te komen.

Kolhorn

Niet veel mensen kennen Kolhorn in de Wieringermeerpolder; met de auto over de N248 zou je er zo voorbijrijden. En dat zou jammer zijn, want het is alleszins de moeite waard dit voormalige vissersdorp aan te doen. Het rustieke Kolhorn was vroeger een bedrijvige vissers- en zeehaven aan de voormalige Zuiderzee. Men ging van hieruit op walvisvaart en Oost-Indiëvaarders sloegen er hun lading

Tot 1944 was Kolhorn een havenplaats aan de Zuiderzee.

over op kleinere schepen van beurtschippers die de handel langs binnenwateren naar Schagen of verder vervoerden. Kolhorn werd in het jaar 1788 getroffen door een uitslaande brand die in de bakkerij aan de Oude Streek was ontstaan. Vrijwel het hele dorp werd in de as gelegd. Een grote geldinzameling in Noord-Holland maakte het mogelijk het arme vissersdorp te herbouwen. In 1845 werden de Waard- en Groetpolder ingedijkt waardoor de nederzetting van vissers en

zeevarenden een dorp van voornamelijk boeren werd. De vissers
die nog over waren, voeren verder uit de kust en gingen over op
de vangst van ansjovis, totdat de
drooglegging van de Wieringermeer ook dat onmogelijk maakte. Het plaatsje aan de West-
Friese Omringdijk kwam zo'n
twintig kilometer landinwaarts te
liggen.
Armoede is het behoud van het
historische Kolhorn gebleken:
alles bleef zoals het was. Daarom ook stond het vissersdorp
model voor een deel van het Zui-
derzee-buitenmuseum in ➤ **Enkhuizen** waar de vissershuisjes
aan de Nieuwe Streek van Kolhorn nauwkeurig werden nage-
bouwd.

De huizen van de Oude Streek staan
aan de voet van de 126 km lange
Westfriese Omringdijk.
Rechterpagina: Het raadhuis van
Barsingerhorn.

OUDE STREEK EN
NIEUWE STREEK

Het eigenlijke Kolhorn is niet
door het massatoerisme ontdekt
en dat maakt een een wandeling
door het dorp wel zo prettig.
Tegenwoordig zien de houten
huisjes aan de Oude en de Nieuwe Streek eruit als om door een
ringetje te halen. Aan de voet
van de steile West-Friese
omringdijk staan twee historische turfschuren, een ervan is nu
museum (De Turfschuur, West-
friesdijk 66b). Voorheen werd

Het poldergemaal. Sinds 1993 heeft Barsingerhorn het eerste Beschermd Dorpsgezicht van Noord-Holland.

turf vanuit Overijssel hier in turf-schuren opgeslagen om vervol-gens naar afnemers in het land te worden vervoerd.
Via de oude voetbrug bereik je de Nieuwe Streek, de authentie-ke vissershuisjes hebben 'over-tuintjes' aan de waterkant. Deze tuintjes werden vroeger gebruikt om reparaties aan schepen en netten te doen, nu prijken er vooral vlijtige liesjes en horten-sia's. Leilinden en iepenhagen zorgen voor schaduw in het

schilderachtige laantje.
Het bruine café Schippers Welva-ren, Nieuwe Streek 64, bestaat al sinds 1622. Eens was het een herberg voor beurtschippers, nu komen er dagjesmensen en de vaste klanten uit het dorp.

BARSINGERHORN

Vanuit Schagen kun je een mooie fietstocht of wandeling van zo'n zeven kilometer naar Kolhorn maken. Vanaf de provinciale weg (N241), even buiten het centrum van de stad, voert een polder-weggetje dwars door de weilan-den in oostelijke richting langs de gehuchten Snevert en Nes en kom je uit op de Lutjewallerweg. Sla daar rechtsaf en als je bij de volgende weg linksaf gaat, kom je na enkele kilometers in Barsin-gerhorn. In oude geschriften uit 1288 wordt het lintdorp al genoemd. Het raadhuis (anno 1622), Heerenweg 150, was eer-der Rechthuis. De afbeelding van Vrouwe Gerechtigheid herinnert daar nog aan. Aan de overkant van het water bevindt zich een poldergemaal. Als je verdergaat kom je in de Nieuwe Streek van Kolhorn.

Lelystad

De geestelijke vader van Flevoland, Cornelis Lely, kijkt vanaf de dertig meter hoge Zuil van Lely uit over de naar hem genoemde stad. De zuil bestaat uit basaltstenen met op de top een standbeeld van Lely. De grauwe basaltblokken symboliseren de dijken die de polder beschermen tegen het water. Het kunstwerk is ontworpen door Hans van Houwelingen en staat op het plein voor het stadhuis.

Oorspronkelijk zou het beeld dat Piet Esser van Lely maakte op de basaltzuil komen te staan, maar Esser vond dat zijn werk op die hoogte niet tot zijn recht kwam. Na heel wat geharrewar staat zijn beeld in afwachting van een geschikte plek voorlopig in de hal van het stadhuis. Op de zuil staat nu een afgietsel van het door Mari Andriessen gemaakte beeld van ingenieur Lely dat bij de Stevinsluizen aan de kop van de → Afsluitdijk staat.

De meeste inwoners van Lelystad maken zich er niet druk over; uit een kleine steekproef onder jongeren blijkt dat ze niet eens weten wat dat 'mannetje' opboksend tegen de wind, te betekenen heeft. Misschien een idee voor de aanhangers van de 'nieuwe' politiek om alle 'nieuwe' bewoners van het 'nieuwe' land een inburgeringscursus te laten volgen?

In 1967 overhandigde landdrost dr. ir. W.M. Otto de sleutel aan de bewoners van de nieuwe stad – voor het merendeel 'overlopers' uit Amsterdam die werden verleid door de ruimte en een huisje met een tuintje. Zeker in die eer-

De omstreden 'zuil van Lely'.

ste jaren misten ze de Amsterdamse gezelligheid en heel wat gewezen Mokumers zeiden 'desnoods kruipend', terug naar 'huis' te willen. Dat is gelukkig tegenwoordig niet meer nodig: met de Flevolijn ben je in een half uurtje in Amsterdam. Jongeren, zonder nostalgische gevoelens van de (vermeende) gezelligheid van de grote stad, hebben in de polder hun plek gevonden. Bovendien valt er in Lelystad en omgeving best wel wat te beleven; je kunt er in elk geval alle kanten op.

Bij de Houtribsluizen ligt aan de Oostvaardersdijk de Batavia-werf, waar een replica van het VOC-schip *Batavia* is gebouwd. Je kunt er het trotse schip bezichtigen. Het oorspronkelijke spiegelretourschip uit 1628 verging op haar eerste reis nabij Australië.

Momenteel wordt op de werf aan de bouw van het vlaggenschip van admiraal Michiel de Ruyter, *De Zeven Provinciën*, gewerkt. Bij de bouw van de reconstructie wordt nauw samengewerkt tussen mensen met historische, ambachtelijke en archeologische kennis betreffende de 17de-eeuwse scheepsbouw. *De Zeven Provinciën* uit 1665 was 46 meter lang, had tachtig bronzen kanonnen en de de bemanning

Per trein langs de Oostvaardersplassen. Heckrunderen, konikpaarden en edelherten schieten in een flits aan je voorbij.

bestond uit 420 koppen. In 1694 werd het schip gesloopt.

Naast de Bataviawerf ligt het Nieuw Land Erfgoedcentrum. Hier zijn scheepsvondsten te zien die tijdens de inpoldering van de Zuiderzee zijn aangetroffen en wordt de strijd tegen het water inzichtelijk gemaakt. Naast het poldermuseum ligt Batavia Stad Outlet Shoppingcentrum dat is gebouwd in de vorm van een soort vestingstadje.

Bij de luchthaven van Lelystad is het Aviodrome (Pelikaanweg 50). Het themapark heeft onder andere de viermotorige Constellation en Fokker Friendship onder haar vleugels.

In Natuurpark Lelystad (Bezoekerscentrum Vlotgrasweg 11) zijn tijdens een wandeling door het semi-wildpark naast gevleugelde vrienden als ooievaars, ook herten, wilde zwijnen en elanden te bespieden. Ook is er het wrak van het vrachtschip de *Zeehond* te bekijken. Het park is van zonsopgang tot zonsondergang geopend, de toegang is gratis.

Lelystad is te bereiken via de A6, N302, N309 en per spoor via de Flevolijn Weesp–Lelystad. Bussen vertrekken vanaf het station naar Enkhuizen, Emmeloord, Groningen, Harderwijk, Kampen en Zwolle. Maar de sportiefste manier is natuurlijk de fiets te pakken.

Lemmer

In 'de goeie ouwe tijd' leefden de meeste Lemster vissers buiten het visseizoen van de bedeling. En als in het voorjaar de ansjovis werd binnengehaald, werd het hele gezin ingezet om brood op de plank te krijgen. De jongens gingen mee de zee op, de meisjes bleven aan wal om de vrouwen te helpen.

Van 's morgens vier tot laat in de avond moesten de vrouwen voor een karig dagloon de ansjovis 'koppen' – de ingewanden verwijderen – spoelen en zouten. De vis heeft kleine graatjes, de vingers en duimen van de kinderen zaten vol kleine wondjes en als ze met hun handen in het zoute koude water moesten, was dat erg pijnlijk. Nadat 'Het kinderwetje Van Houten' (1874) het laten werken van kinderen onder de twaalf jaar verbood, werd dat op forse schaal ontdoken.

De spiering werd in 'hangen' gerookt; vrouwen en kinderen deden het 'spitsjen', op ijzeren spietsen (speten) rijgen van een veertigtal spieringen. In de stenen gebouwen was het als er niet

Op de leugenbank bij de Blokjesbrug wordt gemoedelijk gediscussieerd. Als een schip voorbijvaart springen de mannen op om goede raad te leveren.

werd gerookt, vaak vochtig en koud. De vrouwen zaten op een oude emmer waarin zij een kooltje vuur hadden, de emmer stond onder hun rokken zodat het onderlichaam behaaglijk verwarmd werd.

Het roken van de vis was mannenwerk. Men stak met in petroleum gedrenkte takkenbossen het vuur aan en als dat oplaaide, werd er zaagsel, afkomstig van klompenmakers, overheen gestrooid om het vuur te dempen waarna het ging smeulen.

Het moet er behoorlijk gestonken hebben: voor de ventilatie zorgde alleen een gat in het dak. Tegenwoordig mag het roken alleen in moderne visrokerijen op een bedrijfsterrein gebeuren, waar de lucht wordt gezuiverd.

Als een visser de haven van Lemmer binnenvoer, werd er bij de afslag een bel geluid ten teken dat er vis zou worden afgeslagen. Voordat de wijzer van de mijnklok begon te lopen werd de inzetprijs omgeroepen; de wijzer bleef staan wanneer een handelaar de knop indrukte ten teken dat hij voor de aangegeven prijs wilde kopen. De opbrengsten voor de vissers waren gering, maar: 'de spiering verschafte aan zeer vele armen een heilzaam voedsel.'

Ook vissers uit Kuinre, Schokland en Vollenhoven alsmede 'buitenlanders' uit Urk en Volen-

Aan de kade van de Binnenhaven staat 'De Lemster Fiskerman'.

dam brachten geregeld hun vangsten naar de afslag van Lemmer. Visventers reden met hun ingekochte vis in hondenkarren en bakfietsen over verharde paden naar het Gaasterland en verder om de handel te verkopen.

Begin 1900 kwam er een stoomtram van Lemmer naar Heerenveen en een stoomtrein naar Leeuwarden, zodat het achterland beter werd ontsloten.

LEMSTER VEERBOTEN

Veerdiensten bestonden al veel

langer; sinds 1719 maakten de zogenaamde Lemster beurtschepen, houten zeilschepen, de oversteek van Lemmer naar Amsterdam in zo'n twaalf uur. In 1828 kwam het eerste stoomschip in de vaart waarmee de reistijd werd gehalveerd. De dienst had zo'n succes dat in 1928 een tweede veerboot, de *MS Jan Nieveen* van de N.V. Groninger–Lemmer Stoomboot Maatschappij in de vaart kwam. De ranke *Jan Nieveen* kon makkelijk door de smalle oude zeesluis van Lemmer en kon naast vracht ook zevenhonderd passagiers vervoeren.

Meisjes gingen naar Amsterdam om er als dienstboden dienst te doen en vissersknechten gingen mee om elders werk te zoeken. De 'Lemster bokking' werd meegenomen, want daar was men 'overzee' gek op.

Op de De Ruyterkade in Amsterdam, waar de *Jan Nieveen* afmeerde, lag vracht voor de terugvaart opgeslagen: biervaten, kisten van Verkade, koloniale waren zoals koffie en tabak voor Douwe Egberts in Joure. In de Eerste Wereldoorlog kon op de Noordzee wegens de mijnenvelden die er lagen niet worden gevist; de Lemster vissers maakten toen goede prijzen voor hun vangst en sommigen konden in die periode uit de schulden komen. Maar toen later de

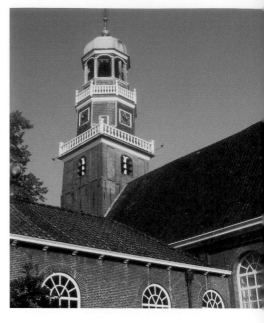

De toren van de 18de-eeuwse hervormde kerk met achtkantige houten koepel.

export naar Duitsland stilviel was het weer armoe troef.

Na de Duitse inval in 1940 vluchtten veel joden uit het westen van Nederland met het veer naar Lemmer om verder in Friesland en Groningen een onderduikadres te vinden. Ook mannen die voor tewerkstelling in Duitsland waren opgeroepen maakten de overtocht, terwijl stedelingen in de hongerwinter meevoeren om bij de boeren eten te halen.

Lemmer ligt aan de A6 (tussen Joure en Emmeloord) en heeft meerdere jachthavens.

Makkum

Dat Makkum beroemd is om zijn aardewerk is algemeen bekend. Maar weinigen weten dat de aardewerkfabriek, de Koninklijke Tichelaar Makkum, al sinds 1594 bestaat en internationaal groot aanzien heeft. In het *Friesch Dagblad* van 1 augustus 2006 stond onder de kop: 'Tichelaar haalt grote order binnen in VS' een artikel waarin de krant meldt dat het Museum of Art and Design in New York voor enkele tonnen keramische tegels heeft besteld

De bultenhaven van Makkum.

voor de bekleding van de buitenkant van het museum.
De opdracht staat volgens de krant niet op zichzelf. Het bedrijf was ten tijde van dit bericht bezig met het uitvoeren van een order van zeshonderdduizend speciale bakstenen voor een project in Amsterdam.
In 1674 trouwde Freerk Jans uit Jorwerd met Jouwer Emes, de dochter van een Makkumer steenbakkersfamilie. De echtelieden werden eigenaar van de steenfabriek die in 1594 was opgericht. Zij gingen de familie-

naam Tichelaar – tegelschilder –
voeren en tot de dag van vandaag voeren mannelijke nako-
melingen de directie over Nederlands oudste familiebedrijf.
De bodem van de Friese kust-
streek bestaat uit zware zeeklei,
ook wel knipklei genoemd. Deze
zompige klei is uitermate
geschikt voor het bakken van
stenen en aardewerk. In Makkum en het nabijgelegen ➤ Workum zijn de kennis en vaardig-
heid van het fabriceren van met
de hand beschilderde en gegla-
zuurd aardewerk en tegels
bewaard gebleven. In de fabriek
van Tichelaar werken meer dan
zeventig medewerkers. Tijdens
rondleidingen die op werkdagen
in de fabriek worden gehouden
wordt getoond hoe dat in zijn
werk gaat.
In de Waag (1698), Pruikma-
kershoek 2, is niet alleen de VVV
gevestigd, maar ook het Fries
Aardewerkmuseum. Het bijbe-
horende Waagmeesterhuisje is
vanbinnen geheel betegeld. Ook
wanden van hotel Prins zijn met
18de-eeuwse tegels bezet.
Makkum heeft een aantal schilderachtige koopmanshuizen.
Aardig is ook het oude post- en
telegraafkantoor, It Posthus,
Plein 15; daar kan men tegenwoordig dineren. Verder heeft
Makkum een aardige sluis,
alleen jammer dat het oude

De sluis die 'de Poort naar de
Zuiderzee' werd genoemd.
Linkerpagina: Het pronkstuk van het
dorp: de Waag waarin het
Aardewerkmuseum en de VVV zijn
gehuisvest.

haventje op de achtergrond
wordt ontsierd door een kale hal
van de scheepswerf.

Makkum is na/voor de kop van
de Afsluitdijk bij knooppunt
Zurich (A7) makkelijk met de
auto te bereiken. Bij de haven is
er voldoende parkeergelegen-
heid. Makkum is de afvaart-
haven van schepen naar het IJsselmeer, de Waddenzee en de
Friese meren. Bussen van Con-
nexxion doen regelmatig het
stadje aan.

Marken

Het voormalige eiland Marken was van oorsprong helemaal geen eiland, maar een nederzetting in Waterland. Na een grote stormvloed in de 13de eeuw kwam Marken los van het land te liggen. Friese monniken legden primitieve dijken rond het eiland aan, maar bij elke vliegende noordwesterstorm kalfden stukjes van het drassige land af. Om het vege lijf te redden moesten de bewoners hun woonerven op verhoogde terpen (werven) bouwen met daarop huizen op twee meter hoge houten palen.

De eilanders hielden zich met landbouw en wat veeteelt bezig, pas veel later schakelden ze over op de visserij.

De monniken bouwden er een Mariakapel. Na de reformatie ging men in 1572 over op het protestantisme, waarschijnlijk in navolging van de pastoor en de schoolmeester. Men was streng in de leer. Zo werd er op zondag niet gereisd, en als een dominee op zondag uit Monnickendam met de boot moest komen, en hij nog zeeziek van de reis met de 'trambotter' aankwam, keken de diakenen hem misprijzend aan. Zelfs fietsen op zondag deed men uit principe niet. En denk maar niet dat je dochter met een katholieke Volendamse jongen kon thuiskomen. Er is altijd rivaliteit tussen de twee vissersdorpen geweest.

De meeste vrouwen kwamen nooit van het eiland af, zij deden het huishouden en hielpen met het maaien en hooien van de weilanden. De mannen waren de hele week op zee; ze visten voornamelijk op walvissen, ansjovis en haring. Als het even kon kwamen de vissers op zaterdag naar huis, want anders moesten ze in een vreemde haven op zondag naar de kerk.

In de haven van Marken lag in het weekeinde de vissersvloot keurig in het gelid in de haven; omstreeks 1900 waren dat wel zeventig botters.

De huizen bestonden uit slechts één kamer met een bedstede. De kinderen lagen onder in de 'koets'; het jongste kind lag in een kribje aan het voeteneind van de ouders. Men moest zuinig met petroleum en water zijn en

Via de witte, houten Máximabrug kom je in de Kerkbuurt, een wirwar van smalle straatjes.

een eigen wc had men niet. Op zaterdag werd de bedstee verschoond, het huis gedweild en opgepoetst, het straatje geschrobd, en waste men zich om beurten in een teil en kreeg men schone kleren aan.

STORMVLOED

De beruchte stormvloed van 1916 is men op Marken nog niet vergeten. De orkaan veroorzaakte een grote chaos op het eiland. Grote delen van het dorp werden weggeslagen, zelfs doodskisten van de begraafplaats op een van de terpen sloegen door de kolkende zee op drift.
De ramp was voor de overheid de druppel die de emmer deed overlopen: de plannen voor de Afsluitdijk werden verwezenlijkt. Voor Marken was de voltooiing van de Afsluitdijk desastreus: bijna alle vissers moesten ander werk zoeken.
Toen in 1959 de dijk tussen Marken en het vasteland gereedkwam, werd Marken een schiereiland. De dijk zou deel uitmaken van de toekomstige ringdijk van de Markerwaard, maar die plannen zijn gelukkig nooit uitgevoerd.

In de oude vissershaven van Marken dobberen geen vissersschepen meer maar plezierjachten en zeilboten. *Rechterpagina:* De Kerkbuurt met in de verte de Máximabrug en een meisje met een kanten Markermutsje en in een 'poezig' hemdje.

MARKER KLEDERDRACHT

Tegenwoordig heeft Marken de naam dat daar alles om het toerisme draait. Ook de klederdracht zou enkel in stand worden gehouden om toeristen te paaien. Dat is niet helemaal waar. Natuurlijk, de souvenirwinkels – waaronder het 'kijkhuisje' van Sijtje Boes – en de Marker museumhuisjes aan de haven, zijn folkloristische nep. Maar nader beschouwd valt het met het vooroordeel dat het er allemaal fake is, wel mee. Van de twee zusters bijvoorbeeld, vrijwilligsters die de bezoekers van de hervormde kerk te woord staan, loopt de één altijd in klederdracht terwijl de ander een bloemetjesjurk draagt. En als je door

Marken loopt kom je bijna altijd vrouwen in klederdracht tegen die niets met het toerisme te maken hebben en hun hoofd afwenden wanneer ze een camera op hun gericht zien.
Tot in 1960 liep iedereen in kostuum. Jongeren krijg je natuurlijk niet meer zo gek, maar zeker bij hun ouders ligt het nog wel in de kast en op hoogtijdagen,

Op Marken wordt de klederdracht nog door ouderen gedragen, zeker tijdens hoogtijdagen zoals Koninginnedag.

zoals Koninginnedag en Pinksterdrie, wordt de klederdracht wel degelijk gedragen en niet voor de 'vreemdelingen', zoals de toeristen door de Markers worden genoemd.

Medemblik

Een van de 'dode stadjes aan de Zuiderzee' is Medemblik. De website van de gemeente is het daar niet mee eens: die noemt het een levendig stadje waar je je ogen uitkijkt. Dat is een beetje overdreven. Je moet plannen om er te komen, doorgaans rijd je er op de A7 op afstand langs.

De Hollandse graaf Floris V liet twee kastelen bouwen: een in Muiden en dit In Medemblik dat hij noemde naar de Friese 'heidense' koning Radboud.

Medemblik is met Muiden en Stavoren wel een van de oudste Zuiderzeestadjes, het zou al in het jaar 334 bestaan hebben. In de Gouden Eeuw beleefde Medemblik als havenstad een korte bloei, maar door concurrentie van Hoorn en Enkhuizen ging dat grotendeels verloren. De havens werden verwaarloosd en gedeeltelijk dichtgegooid. In 1795 telde Medemblik slechts 2000 inwoners. De overheid probeerde het tij te keren en maakte

plannen om hier een grote oorlogshaven te maken, maar nadat het Noordhollands Kanaal was gegraven werd Den Helder daartoe aangewezen.
Overblijfselen van de kortstondige welvaart zijn de Bonifatiuskerk, de vroegere Waag met Die Oudheytkamer tot Medemblick en de 17de-eeuwse huizen aan de Ooster- en Westerhaven met hun mooie trapgevels en gevelstenen.

Linkerpagina: De korenmolen 'de Herder' (afkomstig uit Jisp) met poorthuisje.
Onder: Het Raadhuis en een gezellig terras op de hoek van de Nieuwstraat.

KASTEEL RADBOUD

Maar waar Medemblik vooral om bekend staat is het kasteel Radboud. Graaf Floris V liet de burcht in 1288 bouwen op de fundamenten van een stenen huis uit de 8ste eeuw van de heidense Friese koning Radboud. Ook het kasteel raakte in verval, maar de ruïne werd door architect Jos Cuypers herbouwd, zodat we er sindsdien weer van kunnen genieten.
Op zaterdag wordt in Medemblik markt gehouden en dan is het er gezellig druk, bovendien is er in de zomermaanden een romantische markt waar oude ambachten – zoals kantklossen, man-

Op de wal langs het IJsselmeer kom je langs het aardige beeld 'De beste stuurlui...'

denmaken en glasblazen – worden uitgevoerd.

In de Nieuwstraat 8 is het bakkersmuseum *De Oude Bakkerij* gevestigd, de geur van versgebakken brood komt je bij binnenkomst tegemoet. Je kunt er ook zoethout, drop, zuurstokken en ander ouderwets snoepgoed krijgen.

Op de dijk aan het IJsselmeer zie je links de meelmolen De Herder (1695) met een aardig poorthuisje. Je vraagt je misschien af waarom een korenmolen hier aan het water staat, maar oorspronkelijk stond hij in Jisp en na de sloop werd de molen hier in 1990 herbouwd. Op de dijk kijk je uit op de Wieringermeerpolder met het witte gemaal Lely uit 1929 en naar de stadskant kijkend zie je het station van de stoomtram en links daarvan het uit rode bakstenen opgetrokken raadhuis in jugendstil van architect A. J. Kropholler. Loop je die kant op dan kom je uit bij het havenhoofd met het bronzen beeldje van twee mannen: 'De beste stuurlui...' dat tijdens de viering van 700 jaar stadsrechten van Medemblik hier werd geplaatst.

Al met al toch een aardig stadje!

Monnickendam

Vanuit de verte springt de kerk van Monnickendam al in het oog. De protestantse Grote of Sint-Nicolaaskerk heeft een 60 meter hoge toren. De gotische hallenkerk van na 1400 is gebouwd op een terp en is ongeveer 80 meter lang. In de middeleeuwen werd de kerk door wel 1800 communicanten bezocht. Nu zit de kerk alleen bij

Een van de vele witte, houten loopbruggetjes die de pittoreske grachtjes van Monnickendam overspannen.

muziekuitvoeringen bomvol, zoals in de paasweek, wanneer de Matthäus Passion wordt uitgevoerd.

Friese monniken die ook op Marken actief waren, zouden hier in de omgeving een meertje hebben afgedamd van de Zuiderzee, vandaar de naam Monnickendam.

In 1355 verkreeg het plaatsje (gelijktijdig met Weesp) stadsrechten van de graaf van Holland, Willem V van Beieren. De stad had een eigen wetgeving en rechtspraak.

❝Een korte wandeling door het oude koopmansstadje is zo'n twee kilometer lang. We beginnen vanaf de Zarken bij de Grote Kerk. Op nummer 23/26 zien we het Gemeenlandshuis uit 1619, ook wel Waterlandshuis genoemd. De straat gaat over in de Kerkstraat en daar passeren we de Speeltoren met een klokkenspel met 18 klokken uit 1596. In de Speeltoren zit een museum-

Linkerpagina: De Grote of Sint-Nicolaaskerk.
Onder: In de Kerkstraat en aan het Noordeinde staan koopmanshuizen uit de Gouden Eeuw (*links*) en op de brug over de Binnenhaven staat de leugenbank (*rechts*).

pje. De toren is bij de stadsbranden in de13de en 14de eeuw gespaard gebleven. Monnickendam werd door meerdere rampen geteisterd, zoals de pest en plunderingen door de Friezen. Maar in de Gouden Eeuw kwam de welvaart: grote zeeschepen konden de stad aandoen. Patriciërshuizen aan het Noordeinde (het verlengde van de Kerkstraat) getuigen daarvan. Diverse gevelstenen pronken aan de gevels.
Het voormalige Stadhuis, Noordeinde 5, wordt nu gebruikt als woonhuis. Aan het eind van het Noordeinde gaan we rechtsaf en komen bij de haven. Aan de aanlegsteigers dobberen zeilbo-

De Waag aan de Binnenhaven met daarachter de Speeltoren (*zie ook rechterpagina*).

ten. Links in de Havenstraat staat een fabrieksgebouw dat een grote werf voor jachten blijkt te zijn. Likkebaardend bekijken we op afstand een luxe jacht in aanbouw dat vast niet op het IJsselmeer zal varen, maar waarschijnlijk ergens op de Middellandse Zee. Wij kunnen ons zo'n hebbedingetje niet permitteren, maar nemen ons voor om als troost mee te varen met een zeilschip op het IJsselmeer.
We wandelen verder, nemen links de Brugstraat en komen bij de Gooise Kade. Daar staat een beeld van een palingroker. In het haventje liggen botters met een

MN-teken van Monnickendam. Op de brug staat een zogenoemde leugenbank waar 'hangouderen' over het leven en het weer filosoferen. Bij de brug staat het mooiste gebouw van de stad: de Waag uit 1600. Het is nu een café-restaurant. Daarnaast staat de Speeltoren. **'**

Met de auto is Monnickendam te bereiken via de N247. Van Amsterdam CS en Hoorn NS gaan diverse buslijnen en over het water kom je er via de Gouwzee. Monnickendam heeft een aantal prima jachthavens. Men kan er fietsen en zeiljachten huren of met een jacht tochten over het Markermeer en verder maken.

Muiden

Het is niet zo verwonderlijk dat Muiden een levendig stadje is. Gelegen aan de monding van de Vecht en aan de oever van de voormalige Zuiderzee is het een ideale locatie voor (recreatie) scheepvaartverkeer van en naar het IJsselmeer. Bij de oude zeesluis staan de meeste stuurlui aan wal te kijken hoe de schepen worden geschut en of men wel tolgeld in de klomp werpt die de sluiswachter voorhengelt.

Ook op de werven is er altijd bedrijvigheid. Watersporters zijn doorgaans geen armoedzaaiers, ze doen in het stadje inkopen en bunkeren in de cafés en restaurants. Bovendien, met het Muiderslot en het wandelgebied daaromheen is het stadje, zo dicht bij het Gooi en Amsterdam, een toeristische trekpleister. Ome Ko, aan de Herengracht, pal tegenover de sluis, is het bekendste bruine café van Muiden. Boven de ingang prijkt een gevelsteen uit de 18de eeuw met daarop 'D:Gooyse Boer'. Het

De monding van de Vecht met op de achtergrond het Muiderslot.

Otto I de nederzetting Amuda , dat monding van de A betekent (de A is de oude naam van de Vecht), en de gewonnen tolgelden aan het Domkapittel van Utrecht. Dat was een aardige gift, want in de tijd van de Romeinen was Muiden onderdeel van een belangrijke scheepvaartroute. Via de Vecht deed men Muiden aan, op weg van en naar de Oostzee.

MUIDERSLOT

Rond 1280 werd aan de havenmond door graaf Floris V het Muiderslot gebouwd ter bescherming van haven en goed. Floris raakte in strijd met de Engelse koning en verbond zich met Frankrijk. Edellieden waren daar zo boos over dat ze hem in 1296 op een jachtpartij gevangen namen om hem aan Engeland uit te leveren. Het volk wilde dat verijdelen waarop hij door de edellieden in het naburige Muiderberg werd doodgestoken. Grote roem ontleent het Muiderslot aan dichter en historicus Pieter Corneliszoon Hooft. In 1609 werd hij tot drost van Muiden en baljuw van Gooiland benoemd en hij bewoonde tot aan zijn dood in 1647 het Muiderslot. Zijn vriendenkring bestond uit geleerden, musici en schrijvers voor wie hij culturele samenkomsten organiseerde waaruit de Muider-

parmantige mannetje stelt een Gooise tabaksplanter voor: hij heeft een pluk tabaksbladeren in zijn rechterhand en leunt met zijn linker op een tabaksrol. De steen was vroeger van Jan Tabak, een herbergier in Naarden.
Daarnaast, bij eetcafé Floris V, kun je lekker en niet te duur eten. Wil je eens uitpakken, ga dan naar restaurant De Doelen, Sluis 1, daar bereiden topkoks de diners.
Muiden is een van de oudste stadjes rond de voormalige Zuiderzee. In 953 schonk keizer

kring is ontstaan. Onder hen
bevonden zich Anna en Maria
Tesselschade, rechtsgeleerde en
staatsman Hugo de Groot, Joost
van den Vondel (vóór hij katholiek werd), dichter en staatsman
Constantijn Huygens en de pro-
fessoren Van Baerle en Vossius.
De Muiderkring komt nog regelmatig bijeen, de in de 1947 inge-
stelde P.C. Hooftprijs staat
bekend als de hoogste literaire
staatsprijs voor Nederlandstalige
literatuur.
Het Muiderslot heeft in 2006 een

Bij het robuuste en strategisch gelegen
Muiderslot kan men zich ook melden
om met het veer een tochtje naar
Pampus te maken.

verbouwing ondergaan. Kinderen kunnen als ridder verkleed
een ridderroute in het kasteel
maken of met een computer-
spelletje elkaar op het toernooi-
veld virtueel te lijf gaan.
Het Muiderslot is het hele jaar
geopend.

Pampus

Wanneer iemand verzucht dat hij 'voor pampus' ligt, dan wil hij zeggen dat hij te veel gegeten en gedronken heeft en toe is aan wat rust. Voor zeelieden van de VOC was dat wel anders: lagen zij na een lange reis voor Pampus, dan wachtte hen een nare ervaring.

Voordat zij hun zwaarbeladen handelsschepen in Amsterdam konden afmeren, moesten ze bij Muiderzand de ondiepe vaargeul Pampus zien te passeren. Maar omdat de schepen groter en groter werden (en dus meer diepgang kregen), terwijl de geul steeds meer verzandde, lag men soms dagenlang voor Pampus. Om niet vast te lopen moest men op hoogwater en op gunstige wind wachten, of de lading op lichters overladen. Om dit probleem te overwinnen bedacht men in 1688 de scheepskameel. Dit was een houten constructie bestaande uit twee drijfkasten, samengesteld uit een aantal waterdichte compartimenten. De compartimenten werden met water gevuld en aan weerszijden van het schip geplaatst. Daarna werden ze leeggepompt waardoor het schip anderhalve meter werd gelicht. Zo kon men bij vloed op eigen kracht, of voortgetrokken door kleinere schepen, weer verder.

De problemen van het vastlopen van de zeeschepen in de Zuiderzee waren aanleiding voor de

aanleg van het Noordhollands Kanaal.

Na de Frans-Duitse oorlog van 1870 was men bevreesd voor een aanval op Amsterdam. Men is toen aan de Stelling van Amsterdam begonnen, een verdedigingslinie van 42 forten in een cirkel met een omtrek van 135 km rond de stad. De fortificaties, waaronder die van Durgerdam, Edam, Muiden, Naarden en Pampus, bestonden uit een bomvrije kazerne van gewapend beton overdekt met een aarden laag. De bedoeling was om bij een vijandelijke aanval het omliggende land onder water te zetten en de vijand op tien kilometer afstand van Amsterdam te houden. Na de totstandkoming in 1914 was de stelling

door de opkomst van vliegtuigen strategisch verouderd. De militaire status werd in 1963 opgedoekt en de habitat van de gelegerde soldaten werd overgenomen door konijnen, vleermuizen en weelderige flora. Drie jaar later is de Stelling van Amsterdam in zijn geheel op de Werelderfgoedlijst van de Unesco geplaatst.

Het forteiland Pampus bezat na de voltooiing in 1887 vier gigantische, door de Duitse wapenfabriek Krupp gemaakte, kanonnen. Gedurende de mobilisatie in de Eerste Wereldoorlog werd het

Tijdens een rondleiding nemen de bezoekers een kijkje in het donkere gangenstelsel van het fort.

eiland bemand door een regiment soldaten. De kanonnen stonden op het noorden van de Zuiderzee gericht, de richting van waaruit men een eventueel oprukkende Kriegsmarine naar Amsterdam verwachtte.

Tijdens de Tweede Wereldoorlog hebben de Duitse bezetters de door hen eertijds geleverde kanonnen meegenomen naar hun Heimat, waar ze werden omgesmolten tot moderner oorlogstuig. Hoewel het fort nooit bij oorlogshandelingen is gebruikt, is vanbinnen weinig overgebleven. Toen de bezetter was vertrokken heeft men alles wat maar bruikbaar was, hout voor brandstof en vloertegeltjes voor de keuken thuis, uit het meer dan tachtig ruimten tellende fort gesloopt.

De Stichting Pampus wil in de toekomst het fort in oude staat terugbrengen. Toch is in de tussentijd een bezoekje aan het eiland best de moeite waard, zeker wanneer je van een van de vrijwilligers een rondleiding krijgt. Dan zul je versteld staan van de robuustheid van het voormalige fort, de benauwdheid van het gangenstelsel en het uitzicht over het IJsselmeer.

Ransdorp

De markante 32 meter hoge stompe toren van Ransdorp, ten noorden van Amsterdam in het Waterland, is in de wijde omtrek van verre te zien. In vroeger eeuwen was het een baken voor de schepen op de Zuiderzee. Dat de toren geen spits heeft is eenvoudig te verklaren: in 1542, tijdens de bouw, was het geld op.
In de 13de eeuw legde men vanuit Ransdorp een dam door het omliggende moerasgebied naar

Het voormalige raadhuis van Ransdorp
Is een gellefde trouwlocatie.

de Zuiderzee, hieruit is ➤ Durgerdam ontstaan. De zeevaart bracht de Ransdorpers welvaart, aan het eind van de middeleeuwen was het zelfs belangrijker dan Amsterdam.
Tijdens de Tachtigjarige Oorlog had Ransdorp zwaar te lijden: het werd verwoest door zowel de Spanjaarden als de Geuzen. Maar de klokkentoren bleef gelukkig gespaard.
Ransdorp is tegenwoordig onderdeel van de gemeente Amsterdam en de hoofdstedelijke dienst Stadsherstel is eige-

Linkerpagina: De stompe toren van Ransdorp werd in de jaren 1642-1647 regelmatig door Rembrandt getekend wanneer hij zijn minnares Geertje Dircx kwam bezoeken.
Boven: De zwaan met zes pijlen in haar poot boven de deur van het raadhuis.

naar van de kerk. De restauratie van de voormalige hervormde kerk is in 2006 grondig uitgevoerd. Er worden in de kerk van begin april tot eind september regelmatig exposities en muziekuitvoeringen gehouden en dan is het ook mogelijk om overdag de gotische toren te beklimmen: 155 treden, tel maar na! Tegenover de kerk staat op Dorpsweg 59 het voormalige raadhuis. Dit deftige gebouw in renaissancestijl werd in 1652 gebouwd als vergaderplaats voor de Unie van Waterland. Boven de geveltrap prijkt een gevelsteen met daarop een afbeelding van een zwaan die zes pijlen in haar poot houdt. Die symboliseren de zes dorpen die deel uitmaakten van de Unie van Waterland (Broek in Waterland, Landsmeer, Ransdorp, Schellingwoude, Zunderdorp en Zuiderwoude). Onder de steen staat de spreuk: *Eendracht doet cleyne saecken bloeyen in macht en oock in welstant groeyen.*
Het lommerrijke Ransdorp heeft een beschermd dorpsgezicht, de houten huizen die eens door zeelieden werden gebouwd, stralen welstand uit.

Schokland

Wanneer je op de terp Middelbuurt naast het kerkje van
Schokland staat, kijk je hoog
boven het maaiveld uit over de
zee van akkers van de vlakke
Noordoostpolder. Daar, waar
eens de golven tegen de met
rechtopstaande houten palen
versterkte dijk beukten, realiseer
je je pas goed dat je op een voormalig eiland staat en dat men
hier vroeger op de Zuiderzee uit-
keek.
Schokland werd eiland toen rond
1200 de Zuiderzee ontstond. Het
wordt door sommigen 'een parel

in een oester' genoemd, dat is
wat overdreven gesteld, maar
het is wel een symbool bij uitstek
van de eeuwigdurende strijd van
de Nederlanders tegen de zee.
Het is daarom in 1995 als eerste
monument opgenomen op de
Werelderfgoedlijst van de Unesco.
In de Romeinse tijd bestond het
gebied rond Schokland uit een
bult keileem met wat bos en een
moerasveengebied met stukken
open zoet water. Door dijkjes om
de stukken veengrond aan te
leggen, begon door ontwatering

het veen in te klinken en ging de slappe bodem dalen. Schokland werd daardoor een steeds makkelijker prooi voor de zee: stormvloeden en overstromingen sloegen steeds stukken land weg.

PAALSCHERMEN

Vergeefs werd geprobeerd het gebied met houten paalschermen tegen de golven te beschermen, maar die zeewering werd ondermijnd door paalworm. Voortdurend moesten de bewoners van hun nederzetting ver-

Dreigende wolken boven de Zuidpunt van Schokland.
Linkerpagina: Op de dijk het hoogwaterkanon en de kerk van de Middelbuurt.

huizen naar een hoger deel. Uiteindelijk trokken de Schokkers zich rond 1800 terug op drie woonterpen: Middelbuurt, Zuidpunt en Emmeloord. De woonplaatsen waren onderling slechts te bereiken via smalle loopplanken zonder leuning. De eilanders passeerden elkaar door de hand op elkaars schouder te leggen en dan om elkaar heen te draaien. Op oude filmdocumentaires is nog te zien hoe ze met een grappig huppeltje om elkaar draaiden.

STORMVLOED

In 1825 overstroomde het hele eiland en mede door de hoge kosten van het onderhoud van de dijk om het eiland, besloot de

regering van koning Willem lll om de hele bevolking van zo'n 650 zielen te evacueren. Alleen een paar mensen mochten blijven om de vuurtoren te bedienen, de kustverdediging te onderhouden en toezicht op de

Op de museumterp van de Middelbuurt verbeelden kunstenaars het vroegere leven op Schokland.

haven te houden.

Bij de ontruiming van Schokland in 1859 verhuisden de bewoners naar Kampen, Vollenhove en Volendam. Zij beschouwden het zelf als een ballingschap.

Nadat de dijk om de Noordoostpolder was gelegd, werd in 1941 begonnen met het wegpompen van het water en kwam Schokland op het droge te liggen. In het begin vreesde men dat door de verlaging van de waterstand de veenachtige ondergrond zodanig zou uitdrogen dat het voormalige eiland als een plumpudding in de polderbodem zou wegzakken. Maar de inklinking bleef tot nog toe tot anderhalve meter beperkt. Men is inmiddels begonnen met het verhogen van het waterpeil onder het gebied. Schokland staat achter de houten palissade als een rots in de branding in het aardappelveld.

MIDDELBUURT

De Middelbuurt is een van de drie terpen waarop de laatste bewoners zich terugtrokken. Het kerkje uit 1834 is nu museum, waar een verzameling geologische en biologische bodemvondsten uit het lJsselmeergebied te zien is. Uit al deze vondsten blijkt dat hier tienduizenden jaren geleden dieren hebben geleefd, zoals de mammoet en neushoorn. Sporen van menselijke aanwezigheid tonen aan dat het gebied zo'n tienduizend jaar geleden door boeren, jagers en vissers werd bewoond.

Tegen het kerkje was een winkeltje gebouwd waar vissers en schippers hun levensmiddelen haalden; de grootste klandizie kwam van hooiers, rietsnijders en van de arbeiders voor het onderhoud van het eiland. Het winkeltje was klein en toch was er van alles te koop: gort, meel, olie, bonen, spek, schapenmelk, turf, petroleum en brood.

Een kapper hadden ze niet, de schaapscheerder knipte zijn kinderen zelf, 'lekker kort met een kuifie'.

ZUIDERBUURT

Langs het pad naar de zuidpunt is de vroegere kustlijn beplant met essen, sleedoorns en sparren. De Zuiderbuurt (Zuidert) is een heuveltje dat sinds de 15de eeuw permanent werd bewoond; toen het eiland werd ontruimd stonden er veertien huisjes.

Op de zuidpunt liggen de fundamenten van een laatmiddeleeuws kerkje. Van de torenfundering is een restant zichtbaar van de spatmuur die de kerkgangers moest beschermen tegen overslaand water.

Ook ligt daar een 17de-eeuwse stenen vuurbaak, die de Kaap werd genoemd. Later werd het licht gemoderniseerd met een op petroleum gestookt baken en kreeg het een mistklok. De mistklok gaf zesendertig slagen per minuut en moest om de twee uur opgewonden worden.

(OUD) EMMELOORD

De noordpunt van het eiland heette Emmeloord, daar was het haventje met havenhoofden en de visafslag. De havenmeester was tevens onbezoldigd rijksveldwachter en bestierde bovendien het postkantoortje.

Zuidelijk van Emmeloord was de rede van Het Gat van Ens gelegen; bij slecht weer op de Zuiderzee was het een schuilplaats voor schepen. Op zondagen organiseerde de havenmeester bijbellezingen bij hem thuis voor de daar verblijvende vissers en turfschippers. De bel van de visafslag werd geluid en in de huiskamer kwamen katholieken uit Volendam en Vollenhove en calvinisten uit Schokland, Marken en Urk, broederlijk bijeen en zong men bij het harmonium. Na afloop schonk de vrouw van de havenmeester koffie.

Elke maandag stonden de kinderen van Schokland aan de haven te wachten, want dan werd er vanuit Grafhorst brood van zaterdag aangevoerd. Dat 'verse' brood smaakte als gebak vergeleken bij het brood dat aan

het eind van de week hard en beschimmeld was geworden.

Buiten het gerestaureerde kerkje van de Middelbuurt staan moderne beelden en attributen uit het verleden door elkaar gegroepeerd. Een 'hoogwater-kanon' afkomstig uit Blanken-ham dat diende om de bevolking met waarschuwingsschoten te melden dat er mogelijk een stormvloed aankwam, heeft zijn kruit allang verschoten en staat nu op het grasveld alleen stoer te wezen. Van de Middelbuurt zijn verschillende wandelingen

Het hoogwaterkanon voor de kerk van Middelbuurt zal zijn kruit droog houden nu het water niet meer tegen de dijken klotst.

(gemarkeerd en voorzien van bordjes met toelichting) over het voormalige eiland te maken. Men kan ook met een treintje over het eiland een tochtje maken.
De hoofdingang van Museum Schokland ligt aan de Schokker-ringweg (N352) tussen Ens en Nagele. Busdiensten vanuit Lely-stad en Emmeloord hebben er een halte.

Spakenburg

In Bunschoten-Spakenburg kom je in 'het wild' nog vrouwen in klederdracht tegen. Op hun hoofd hebben ze een gehaakt mutsje en om de schouders dra-

gen ze een kleurige, bol gesteven 'kraplap', een wat rare naam, maar zo heet dat nou eenmaal. Over de tot de grond reikende rok wordt een schort gedragen. Is men in de rouw – en een periode van rouw kan jaren duren – dan is de dracht somberder. De Spakenburgse vrouwen komen meestal op een fiets met fietstassen naar het centrum om boodschappen te doen. Het zijn

De Oude Haven met de scheepstimmerwerf 'Nieuwboer'. De werf is een 'sledewerf', waarbij de houten botters in de volle lengte door een slede met paardenkracht uit het water worden getrokken.

Tot op de dag van vandaag wordt in het tweelingdorp Bunschoten-Spakenburg de klederdracht nog gedragen. In het kleine museum 't Vurhuus (Oude Schans 47) is daarover meer te zien.

bijna allemaal van die pronte, steviggebouwde huisvrouwen, van wie je verwacht dat ze dagelijks hun huis stofzuigen en het stoepje voor hun huis schrobben. Behalve op zondag; op de dag des Heren gaat men ter kerke. Deze gemeenschap is overwegend streng gereformeerd en fietsen is op zondag eigenlijk niet toegestaan.
De klederdracht van de mannen bestaat uit een effen donkerblauw boezeroen met zwarte broek, maar die wordt alleen nog op evenementen, zoals de Spakenburgse Dagen (de eerste twee woensdagen van augustus), de Palingrookwedstrijden (vierde woensdag van augustus) en op de Visserijdag (eerste zaterdag in September), aangetrokken.

BRUINE VLOOT

Vanuit de Oude Haven varen de botters van de 'Bruine Vloot' uit om op het Eemmeer en de andere randmeren zeilwedstrijden te houden. De plaatselijke VVV geeft jaarlijks een evenementenkrant uit. Als je zo'n Spakenburgs feest bezoekt, merk je dat men dat niet alleen voor het toerisme doet; het rijke vissersverleden van weleer en de nostalgie naar dat verleden is duidelijk voelbaar. Spakenburg heeft zijn karakter als vissersplaats behouden en is, behalve op zondag, een levendig vissersstadje.

De oude vissers, van wie een aantal na de afsluiting van de voormalige Zuiderzee ander werk moest zoeken, komen 's morgens bij de viskramen op het Spuiplein voor de Oude Haven bijeen. Vanaf de kademuur bekijken ze de botters die ze eens bevaren hebben.

De schepen hebben op de boeg het teken van de thuishaven, BU geldt voor Spakenburg. Alle botters hebben zijzwaarden en omdat de Zuiderzee een geringe diepte had, hebben ze een platbodem. Tegenwoordig worden ze hoofdzakelijk gebruikt door zeilsporters, met als voordeel dat ze goed onderhouden worden.

Op het middaguur gaan de oude vissers naar 'moeder de vrouw' om de warme maaltijd, bestaande uit vis of een sudderlapje, te gebruiken.

De Oude Haven ontstond in de 13de eeuw. Vooraan bevindt zich de authentieke botterwerf uit 1750 met helling waarop schepen worden opgetrokken voor onderhoud. De werf is volop in bedrijf en het is aardig om dat van dichtbij te bekijken.

Als je links van de haven loopt zie je op de Oude Schans 90 het VVV-kantoortje met daartegenover 't Vurhuus, een museum geleid door vrijwilligers, dat de geschiedenis toont van het vroegere visserijleven en het boerenbestaan in Bunschoten.

Loop je iets door dan zie je de ingang van de houten werkplaats van de werf en staan de deuren open, dan ruik je de teer en zie je de oude gereedschappen.

Ga je de Havenstraat in, dan heb je zicht op de helling van de werf en bij het beeldje aan de kade van een Spakenburger visser zie je nog meer botters in het haventje. Aan de overkant is de visafslag die nu dienst doet als bottermuseum. Aan de andere kant staat het kantoortje van de havenmeester. In de havenmond voor het gebouwtje ligt de aanlegsteiger van de rederij waarmee je tochten over het Eemmeer en verder kunt maken.

Bereikbaarheid met de auto: vanuit richting Amsterdam/ Apeldoorn via de A1 tot afrit Bunschoten-Spakenburg. De trein gaat tot Amersfoort; daar kun je bus 76 nemen. Over het water: Gooimeer-Eemmeer.

Stavoren

Stavoren, 'Starum' op z'n Fries, werd ook wel Staverden genoemd, maar dat gaf verwarring met het gelijknamige dorp op de Veluwe; op verzoek van de PTT (die haar eigen ingeburgerde naam inwisselde voor TNT-post) hanteren we alleen de naam Stavoren.
Stavoren heeft de naam het 'meest doodse stadje' aan de oevers van het IJsselmeer te zijn,

De Oude Haven met schepen met ST op de boeg is de thuishaven van de kleine vloot die Stavoren nog bezit.

maar met 'een goed boek' is het er best een wijle uit te houden. Voor de openstelling van de Afsluitdijk was er in Stavoren nog wel enig leven in de brouwerij. Er was reizigers- en goederenvervoer via de spoorlijn Leeuwarden–Stavoren en de veerboot naar Enkhuizen. Maar daarna ging dat verkeer over de Afsluitdijk.
Het veer is vervangen door een kleinere lijndienst, die bijna alleen recreanten vervoerd. Tijdens de 'wisseldagen' (vrijdag en maandag) en in het weekend is

De ophaalbrug geeft schepen toegang tot de Friese meren en het IJsselmeer.

het een gezellige drukte in en om de Spoorhaven met grote zeilschepen, en de Oude Haven met kleinere zeilboten en jachten. Terwijl op de punt van de Oude Haven, tegenover de visafslag de Vissershaven, vissersschepen van Stavoren (ST) na thuiskomst liggen te dobberen. Lang voordat de Zuiderzee was ontstaan voeren de handelsschepen van Stavoren via het Vlie, de brede uitloper van het Aelmare Meer, naar Scandinavië en de Oostzeelanden. Volgens oude kronieken was de stad zo welvarend dat de stoepen van de schippers- en koopmanshuizen waren versierd met goud. Het

kreeg vóór 1077 stadsrechten en is daarmee de oudste stad van Friesland.

HET VROUWTJE VAN STAVOREN

De Sint-Elisabethsvloed van 1421 verzwolg het stadje waarna het landinwaarts werd herbouwd. Maar na 1500 had het als havenstad niet veel meer te betekenen; de handel ging door de toenemende verzanding van de haven steeds meer achteruit. Het volk gaf het Vrouwtje van Stavoren daarvan de schuld. Volgens de legende was zij een rijke koopmansweduwe die de kapitein van één van haar koggen (middeleeuws schip met ronde boeg) opdracht had gegeven om haar de kostbaarste koopwaar te brengen die er te halen was. De man had een vooruitziende blik en kwam terug met de beste tarwe die aan de Oostzee te krijgen was, 'het goud van Dantzig'. Toen het Vrouwtje daarvan hoorde, kreeg ze een hysterische woedeaanval en vroeg de schipper aan welke zijde hij de lading ontvangen had. 'Aan bakboordzijde,' antwoordde de beteuterde zeebonk, waarop zij krijste dat het graan aan stuurboordzijde in zee moest worden gestort. De kapitein deed wat hem bevolen was, terwijl zij aan de wal stond te kijken. Uit het toegestroomde volk riep een verontwaardigde oude man de profetische woorden: 'U zult voor uw overmoed gestraft worden, er komt een tijd dat u zult moeten bedelen!' Onverstoord draaide zij zich om, nam de gouden ring, die ze van haar man zaliger had gekregen, van haar ringvinger en gooide die in de golven. Hooghartig sprak ze: 'Zomin deze ring uit de zee terugkeert, zomin zal ik tot de bedelstaf vervallen...' Niet veel later vond haar dienstmeid bij het klaarmaken van de warme maaltijd de ring terug in de maag van een schelvis. Ze liet de ring aan haar meesteres zien en deze schrok zich een hoedje toen ze de ring herkende. Nog diezelfde nacht kreeg de bitch bericht dat al haar schepen tij-

dens een orkaan met man en muis waren vergaan. De eens zo rijke vrouw raakte aan de bedelstaf.

Waar de kostbare lading graan overboord in zee was gekieperd, ontkiemde het en er ontstond een grote zandbank. De haven van Stavoren was onbereikbaar geworden voor grote schepen. De geest van het Vrouwtje van Stavoren staart sinds jaar en dag vanuit de haven naar de door haar veroorzaakte zandplaat, het Vrouwezand.

Het Vrouwtje van Stavoren houdt alles en iedereen in de smiezen.

Urk

Als je Urk (via de A6 en de N352) binnenkomt, zie je bij de rotonde een indrukwekkend beeld van de IJsloper. In de tijd dat Urk nog een eiland was, kwam het 's winters regelmatig voor dat door ijsgang op de Zuiderzee, Urk geïsoleerd kwam te liggen. Stoere mannen onderhielden dan met een vlet de verbinding met de buitenwereld. Zo'n ijslopertocht bracht post van en naar de vaste wal en het nabij gelegen Schokland, bracht zieken weg en nam op de terugtocht proviand mee.

De ijslopers schoten ook vissers te hulp wanneer hun schip was omsloten door smeltend ijs en ijsschotsen een bedreiging vormden. De vlet was voorzien van glijijzers (mooi woord voor bij het scrabbelen) en was men over het ijs bij de drenkelingen aangekomen dan werd de vlet te water gelaten en roeide of zeilde men naar de bestemming. Een riskante en zware taak die tot 1950 heeft plaatsgevonden. De sculptuur bij de rotonde staat symbool voor de dappere mannen van de ijsloper en is ontwor-

pen door de Urker kunstenaar Piet Brouwer.

VISSERSMONUMENT

Dat het vissersbestaan vaak een grote prijs heeft moeten betalen, blijkt ook bij het Vissersmonument aan de dijk aan het IJsselmeer. Daar staat een beeld van een Urker vissersvrouw die, na vergeefs gewacht te hebben op haar geliefden, nog eenmaal achterom naar zee kijkt. Achter haar staan op marmeren plateaus de namen van vissers die in de golven zijn omgekomen.

De stoere mannen van Urk maken een tocht met de IJsloper (linkerpagina); wie daarbij omkwam wordt herdacht bij het Vissersmonument (onder).

Van 1865 tot op heden zijn dat er meer dan 350, vaak leden van dezelfde families waaronder jongens van 13, 14 jaar. Het is weliswaar een cliché maar niettemin waar: de vis wordt duur betaald. Ondanks de afsluiting van de Zuiderzee en zeker toen in 1939 de dijk Lemmer–Urk gereed kwam en daarmee Urk eiland af was, heeft Urk het hoofd boven water kunnen houden. Op wonderbaarlijke wijze heeft het zich aan de veranderende omstandigheden aangepast en ontwikkeld en het is de enige plaats aan het IJsselmeer van waaruit op uitgebreide schaal op de Noordzee gevist wordt.

Urk is de grootste aanvoerhaven van Nederland voor wat betreft platvis (tong en schol) en de export van de Urker visverwerkende bedrijven behoort tot de top drie van Europa. Als je in een restaurant vis tijdens een vakantie rond de Middellandse Zee bestelt, is het best mogelijk dat het visje op je bord uit Urk komt.

In de haven dobbert een deel van de ruim 200 kotters die Urk in de vaart heeft. Alom heerst er een gezellige bedrijvigheid: in de haven en rond de haven, de visafslag en de scheepswerven. (Behalve op zondag, men houdt zich immers strikt aan de zondagsrust.) Bij de leugenbank komen oudere vissers bijeen om de laatste nieuwtjes uit te wisselen. Wellicht visserslatijn, maar dat is door het dialect voor buitenstaanders niet te zeggen. In het voormalige raadhuis, museum Het Oude Raadhuis (ook VVV, Wijk 2 nr 2) is het Visserijmuseum gevestigd; de geschiedenis van Urk en zijn bewoners wordt er tentoongesteld. Naast allerlei visserijattributen is er de Urker klederdracht te bekijken. De dracht van de mannen bestaat uit een zwart jasje, een wijde pofbroek, wollen, gebreide kousen en schoenen die versierd zijn met zilveren gespen. De vrouwen dragen o.a. sierlijke hullen (mutsen) en fleurige kraplappen. Het aantal Urkers dat zich dagelijks in klederdracht hult, neemt ieder jaar af. Uit een telling van 1 januari 2000 bleek dat toen 46 vrouwen en 16 mannen de Urker klederdracht nog droegen.

Tegenover het museum is de grote Bethelkerk en verderop, bij de vuurtoren, het Kerkje aan Zee (Prins Hendrikstraat 1). Het sierlijke kerkje (anno 1786) is een geschenk van de gemeente Amsterdam. Boven de ingang van het godshuis zit een gedenksteen als blijk van de vroegere band tussen Amsterdam en Urk. Amsterdam schonk het kerkje nadat een vorig bouwwerk, dat

De haven van Urk. Iets buiten de haven, voor de vuurtoren, ligt vlak aan de oppervlakte de 'Ommelebommelestien'. Het golvenspel om de steen doet denken aan het spartelen van een grote vis.

niet veel verder stond, door overstromingen van de opdringerige zee als een eilandje in zee was komen te liggen en nog slechts wadend of per bootje te bereiken was. Het kerkje is afgebroken en op een hoger deel bij de vuurtoren herbouwd.

De vuurtoren op Urk staat op het hoogste punt van het vroegere eiland. In de 17de eeuw brandde er een kolenvuur, de huidige vuurtoren geeft 's nachts een schitterlicht: elke vijf seconden een schittering van 0,2 seconde. In de zomermaanden is de toren te beklimmen en kan men bij helder weer uitkijken over het IJsselmeer en de provincies Flevoland, Noord-Holland en Friesland.

PINKSTERWEEK

Het eentonige leven op Urk werd een keer per jaar onderbroken door de feestelijkheden van de Pinksterweek. Op pinksterzaterdag wanneer er kermis werd gehouden, kwamen de Urker jongens en meisjes van de vaste wal naar 'hun' eiland terug. Ook de meisjes die als dienstbode in

de Zaanstreek en Amsterdam werkten.

Tijdens de Urkerdag, zaterdag voor Pinksteren, wordt door oud en jong de Urker-klederdracht weer gedragen. Ook op Hemelvaartsdag; dan geven de beroemde mannenkoren van Urk een uitvoering in de visafslag.

Tijdens de vakantiemaanden wordt door rederij Duurstede een bootdienst Urk-Enkhuizen v.v. onderhouden. Uiteraard niet op zondag...

Volendam

Uit onze kinderjaren kennen we Volendam als een pittoresk vissersstadje waar de mannen zwarte wijde pofbroeken met zilveren knopen droegen. Die visserlui waren bij de haven te vinden, daar was altijd een gezellig drukte. Daar werd paling van het IJsselmeer aangevoerd, verhandeld en ter plekke gerookt. De netten hingen op de schepen te drogen en werden op de kade geboet. De Volendamse vrouwen gingen bijna allemaal nog in dracht met om hun hals een halssnoer van bloedkoraal met gouden slot. Op het hoofd droegen ze het 'hulle-tje', een hagelwit kanten mutsje. Maandag was het wasdag, dan hing de was te drogen aan waslijnen die tussen de houten vissershuisjes hingen.

Toen we jaren later het vissersstadje weer eens bezochten, stond achter een haringkar aan de haven een zwarte vrouw die alleen Engels sprak in een Volendams kostuum. Toeristen fotografeerden haar als zijnde 'typical Dutch'.

Alleen de oudere vrouwen droegen nog de dracht, jonge Volendammers gingen gekleed in eigentijdse kleding. Alleen in

souvenirshops verkleedde men zich in klederdracht en dat alleen gedurend werktijd. Het massatoerisme had Volendam opgeslokt, het bekendste stadje van rond het IJsselmeer was tot een oord van Hollandse kitsch verworden.

Na de vreselijke Nieuwjaarsbrand in café 'Het Hemeltje' in 2001, waar veertien jonge mensen omkwamen en velen ernstige brandwonden opliepen, wilden we geen ramptoeristen zijn en meden we het vissersdorp liever. Nu gingen we toch weer eens een kijkje nemen.

EEN WANDELING DOOR VOLENDAM

De bus zet ons af bij de Katwou-

der molen uit 1650. Je komt er ook langs als je met de fiets of met de auto vanuit Katwoude, of van de rotonde van de N247 komt. De molen is nog in gebruik; met een vijzel wordt het overtollige water uit de polder opgemald en via een sluisje in de Gouwzee geloosd.

PALINGSOUND

We lopen over de dijk verder richting haven. Links beneden staat een aantal kapitale villa's, uit een van de openslaande tuindeuren klinkt: 'Ik zing een lied voor jou alléééén...'. Deze aubade

Op de dijk bij de haven zijn toeristen druk op zoek naar al dat 'typical Dutch' van Volendam.

is echter niet voor ons maar voor de grootmoeder van Jantje Smit. Jantje is inmiddels Jan geworden en is wereldberoemd in Nederland en Duitsland. Volendam heeft bekende popgroepen voortgebracht (palingsound), denk aan BZN en de The Cats. Men denkt dat de Volendamse muziekcultuur aan het katholicisme is te danken. Volendam bleef na de reformatie als een enclave in een protestantse streek overeind. Er werd in de kerk veel gezongen en de vissers zongen voor het zingen in de kerk op hun botters.

Na de reeks luxe woningen zien we vrachtwagens met clownskoppen voor de fabriek van Bart Smit staan. Ook al zo'n succesverhaal. Daarachter zien we de lichtmasten van voetbalclub FC Volendam, die een nogal wisselend bestaan kent.

OP DE DIJK

Via het Zuideinde met stenen huisjes met puntdaken komen we bij de haven uit. Bij café-restaurant 'd'Ouwe Helling' ruiken we gerookte paling. Het zicht op de haven is nog even aardig als vroeger, hoewel er minder botters liggen. Twee bronzen beeldjes van een visserman en een vissersvrouw herinneren ons aan het verleden.

Op de Dijk staan met de rug naar de haven viskramen (de Engelstalige visvrouw zagen we er niet meer), een ouderwetse ijskar, een huisje met de naam 'Praathuis', waar mannen naar de voorbijgangers zitten te kijken en het kantoortje van de Marken Express.

Aan het begin van de twintigste eeuw visten er zo'n duizend botters in de Zuiderzee, nu zijn er nog een stuk of vijftig over. De Volendammers hebben een eigen ontwerp: de Volendammer Kwak. De meeste panden op de Dijk zijn horecagelegenheden of souvenirwinkels. Je kunt je er in Volendammer kostuum laten fotograferen. In de etalage staan foto's van bekende Nederlanders in kostuum en je staat er van te kijken wie van al die BN'ers deze jolijt allemaal heeft uitgehaald. Achter de Dijk lopen de straten naar beneden, daar is het Doolhof, een wirwar van straatjes met grachtjes en oude huizen op palen die zo werden gebouwd omdat bij storm de zee wel eens over de dijk wilde slaan.

GESCHIEDENIS VAN FOLLENDAM

Volendam dankt zijn ontstaan aan de afdamming van de Voor Ye, een zeearm die naar Edam leidde, het stadje dat eertijds aan de open Purmer lag. Op een kaart van Jacob van Deventer

uit 1537 komt 'Follendam' voor het eerst voor als een kleine nederzetting van eenvoudige boerenhuisjes op palen. Later ging men over op de visvangst. De overwegend katholieke Volendammers hebben een zuidelijke inslag. Er wordt wel eens beweerd dat dat komt omdat na de Slag op de Zuiderzee Spaanse soldaten zich hier als vissers hebben gevestigd. Feit is wel dat in tegenstelling tot bijvoorbeeld het gereformeerde Marken en Urk het er nooit zo stijf was.

KERMIS EN MOEDIGE MOEDERS

De jaarlijkse kermis van Volendam is sinds jaren beroemd en berucht. Vroeger bestond de kermis uit een zweelmolen, een 'Turkse' schommel, de kop van jut en koekkramen. In de cafés werd gedanst en veel gedronken. Er wordt nog steeds flink gezopen en de laatste tijd ook gesnoven. De 'Moedige Moeders', een stichting opgericht door Volendamse ongeruste moeders, waarvan de kinderen aan coke verslaafd zijn geraakt, proberen hun kroost onder begeleiding af te laten kicken en ook het probleem bespreekbaar te maken. Ook in andere visserssteden, zoals in Urk en Spakenburg, bestaat het drugsprobleem, maar in een kleine gemeenschap houdt men, tenminste als men het probleem niet heeft onderkend, liever de vuile was binnen. Daarom ook zijn de Moedige Moeders, inderdaad moedige moeders.
De jaarlijkse prijs voor het beste vrijwilligersproject, het 'Nationale Compliment', werd in december 2006 aan de Moedige Moeders gegeven.

HOTEL SPAANDER

Terug op de dijk staan aan het eind van de haven de gebouwen van het befaamde hotel 'Spaander', Haven 15 - 19. We stappen er naar binnen voor de lunch. Het oude deel van hotel 'Spaander', is de 'Oude Herberg' uit 1881, dat bestaat uit een houten gebouw waar binnen de wanden grotendeels zijn behangen met schilderijen van zeegezichten en portretten van vissers. De oprichter van het hotel, Leendert Spaander (1855 – 1955), verzamelde schilderijen waaronder een W. Sluyter. Kunstschilders ruilden vaak een schilderij voor een verblijf in de herberg. Tussen al de kitsch van buiten is dit een oase van aantrekkelijke schoonheid. Na de koffie bestellen we à la carte 'Haring met Amsterdams zuur en uiencrème'. We zijn vooral benieuwd naar die uiencrème, want haring met gesnip-

perde uitjes vinden we te over-
heersend smaken. De ober
brengt even later wienerschnitzel
aan het belendende tafeltje
waaraan Duitse dames zitten
aangeschoven. Verderop zijn nog
vijf tafels bezet, een met een
Amerikaanse vrouw die telkens
hardop haar tafelgenoot gewag
maakt dat alles hier 'nice' is. Aan
een ander tafeltje zit nog een
meneer gebogen achter een glas
bier ansichtkaarten voor thuis te
schrijven. Af en toe grinnikt hij
om wat hij geschreven heeft.
Schrijvers vinden meestal hun
eigen grappen het leukst.
Je kunt hier 's avonds ook dineren. Onder andere staat het
streekgerecht 'Paling rechtop in
't Pannetje' op de kaart. Dat is
gestoofde paling met een sliert
stroop waar men vroeger zo gek
op was.
We amuseren ons, vooral als we
hotelgasten binnen naar de
hotelkamers langs zien lopen.
Het zijn voornamelijk met tassen
vol souvenirs Amerikaanse
bejaarde dames behept met
overgewicht die in shorts en op
gympen, lopen te sjouwen.
Een tweede kelner brengt ons de
haring. Ze wordt geserveerd met
brood zonder boter. De haring is,
niet zo verwonderlijk in Volendam, lekker, het zuur voortreffe-
lijk, maar we missen de uiencrème. Daarvoor in de plaats ligt
gesnipperde ui. De obers zien we

Hotel Spaander. Het bord is afkomstig
uit het Zuiderzeemuseum. Vroeger
kon je met de trekschuit van Edam
naar Volendam; in 1888 ging dat
vanuit Amsterdam met een
stoomtrammetje en nog later bracht
de (elektrische) Westlandse Tram de
toeristen naar Volendam.

voorlopig niet meer bij ons tafeltje terug, dus eten we het zonder
de uitjes. Dan reageert uiteindelijk op ons wenken een derde

collega van de bediening. Het vriendelijke meisje vragen we waarom we geen uiencrème hebben gekregen. Ze begrijpt ons aanvankelijk niet en we leggen haar de menukaart voor. Ze belooft het aan de kok te vragen. Maar we zien haar niet meer terug. Onze lunchtijd is inmiddels ruimschoots verstreken en onze prangende vraag stellen we maar niet aan ober nummer twee die bij ons komt afrekenen. Helaas, pindakaas.

JOSEPHINE BAKER

De beroemde revue-artieste Josephine Baker logeerde in 1928 in hotel Spaander. Zij maakte in een voor die tijd gewaagd kort rokje een wandeling over de dijk. Zij streelde de kindertjes maar de moeders trokken die naar zich toe. Toen ze een paar danspasjes maakte, werd het de Volendammers te machtig; de pastoor was er als de kippen bij en troonde haar weer mee naar het hotel. Later schreef de pastoor: 'Volendamse vrouwen, ik weet het dat je de kleine kinderen angstig verstopt hebt achter je rokken toen de negerin Josephine Baker een bezoek bracht. Die kon aan kinderogen alleen maar pijn doen. Volendammers, blijf wat je bent, hou wat je hebt: je geloof, je kinderen, natuur, schoonheid!'
In het Volendams Museum, Zeestraat 41, is een filmfragment van Josephine te zien: gekleed in een keurig Volendams kostuum, maakt ze een Mata Hari-achtig dansje.

Vollenhove

In de rij van historische en pitto-reske stadjes rond de voormali-ge Zuiderzee wordt Vollenhove meestal vergeten, maar dat is ten onrechte. Een bezoekje aan het stadje is zeker aan te beve-len. Eens werd het Overijsselse stadje 'de stad der paleizen' genoemd; veel burchten en havezaten zijn gesloopt of tot ruïne vervallen, maar er staan gelukkig nog een paar mooie gebouwen overeind.
Alhoewel, één daarvan staat niet in Vollenhove zelf, maar bevindt zich in het Zuiderzeemuseum in → Enkhuizen. Het woonhuis van Frederik Croes stond op de hoek van de Vismarkt in Vollenhove. Vanaf de bank aan de voorgevel, die ook dienst deed als kippen-hok, keek je uit over de Zuider-zee. Bij de sanering van de vis-sersbuurt in 1971 moest het huis echter verdwijnen. Het werd afgebroken en is toen in delen per schip naar Enkhuizen over-gebracht en daar weer opge-

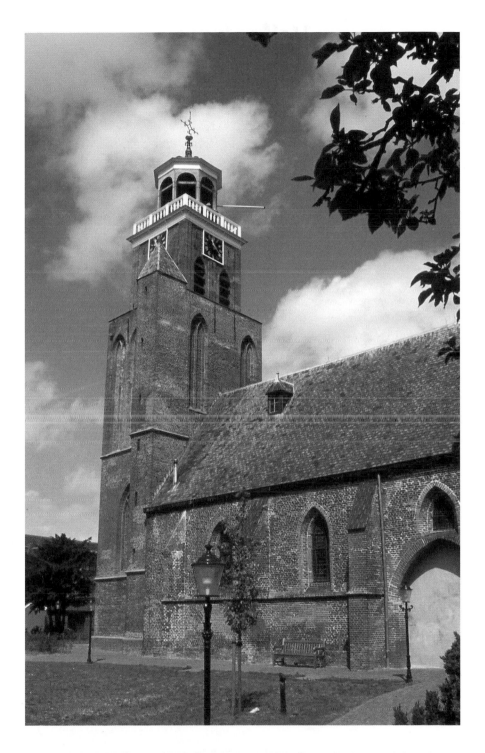

bouwd. Het huis is niet alleen een voorbeeld hoe vroeger vissers leefden, maar is ook een monument voor Frederik Croes. Hij was een van de redders van Klaas Bording en zijn zoons die in de winter van 1849 in ➤ Durgerdam tijdens het 'botkloppen' op een ijsschots zaten en daarop veertien dagen op de Zuiderzee ronddreven.

Naast de Grote of Sint Niklaaskerk (van Vollenhove) staat sinds 2000 een beeldhouwwerk van Henny Zandjans ter herinne-ring aan de 'Durgerdammer vissers'.

In de 12e eeuw liet bisschop Godfried van Rhenen aan het Almere een burcht bouwen, het Olde Huys, dat herhaaldelijk door de Friezen werd aangevallen. Rond de burcht ontstond Vollenhove. Ter verdediging werden aarden wallen en poorten aangelegd.

In de 19e eeuw wordt het Olde Huys gesloopt en de slotgracht werd nadien gebruikt als visserijhaven, die voor meer dan honderd schepen de thuishaven was.

In de 14e eeuw benoemde Karel V Joris Schenck van Toutenburg tot stadhouder van Overijssel en Joris laat iets buiten de stad kas-

De oude binnenhaven waar eens de slotgracht van het bisschoppelijk kasteel 't Oldehuis stond.
Vorige pagina: De Grote of St.-Nicolaaskerk.

Het voormalige raadhuis met het stadswapen van Vollenhove; de twee omkijkende elanden herinneren aan het jachtrecht.

teel Toutenburg bouwen.
Van het kasteel is alleen een ruïne over; in het jachtslot, have-zate Oldruitenborgh, is nu het raadhuis gevestigd.
Het oude stadhuis (1621) heeft een open zuilengaanderij met bogige op natuurstenen leunende zuilen. In de oude raadzaal is restaurant Seidel gevestigd. Het bijgebouw was vroeger gevangenis, later wachtkamer voor auto-busreizigers en nu taveerne 'de Zeekamer', met uitkijk op de haven en het nieuwe land van de Noordoostpolder.
Aan het Kerkplein is een anti-quair in de vroegere Latijnse School (1627) gevestigd, ook weer zo'n prachtig gebouw.

Met de auto komt u in Vollenho-ve via de N331 (vanuit Emmel-oord/Zwolle) of vanuit Meppel via de N375 tot Zwartsluis en vervolgens de N331). Openbaar vervoer: Vanaf Zwolle NS en busstation Zwartsluis bus 71; vanuit Emmeloord bus 78. Vanaf het water komt u via Ketelmeer-Zwartemeer in Vollenhove.

Workum

In het verleden heeft Workum (Warfum) veel baat gehad van wat de Zuiderzee voortbracht: schelpen voor de productie van kalk (in Workum en omgeving waren honderden kalkbranderijen), klei voor het bakken van stenen en aardewerk. En natuurlijk visvangst, in het bijzonder paling.

Vanaf het begin van de 16e eeuw tot de Eerste Wereldoorlog was er een welvarende palinghandel op Londen. Workumer palinghandelaren voeren met hun palingaken, met in de beun zo'n 20.000 pond levende paling, naar de Dutch Mooring aan de Theems, waar ze volgens een oud privilege hun schepen gratis mochten afmeren. De Londenaren waren grote liefhebbers van paling, die men niet gerookt, maar gestoofd of gebakken at. Kort na de Tweede Wereldoorlog werd de laatste palingaak, de *Korneliske Ykes* gesloopt.

Een van de palinghandelaren uit 'de goede oude tijd' was de legendarische familie Visser. Het familiegraf staat op het kerkhof van de Grote of St.-Gertrudiskerk. Op de piramidevormige graftombe staat te lezen: *Rustplaats van Rintje Sines Visser, oud-schipper en palinghandelaar, geb. te Alegawier 17 Febr. 1760. Overleden te Workum in de ouderdom van 95 jaren en 13 dagen.* Op de achterkant wordt zijn vader herdacht met de in steen gebeitelde tekst: *Rustplaats van Rintje Jans Visser, in leven burgemeester van Workum en palinghandelaar, geb. te Gaastmeer 18 Febr. 1827, overleden te Workum 29 Oct. 1891.*

Graftombe van Rintje Sines Visser.
Linkerpagina: De St.-Gertrudiskerk.

Voor de Waag een bronzen beeldje
van monnik Uffing 'fan Worcum'
die in de 10de eeuw Friese
heidenen tot het christendom
bracht.

Rintje voer met de palingaak
(ielaeck, op z'n Fries) *De Vriend-schap* op Londen. Hij was ken-nelijk een sociaal en geliefd per-soon, toen hij 61 werd gaf hij een
groot feest. *De Leeuwarder
Courant* schreef daar in 1888
over: Ter gelegenheid van zijn
61sten verjaardag hield heden
onze geachte burgemeester, de
heer R.J. Visser, eene uitdeling
onder de behoeftigen dezer stad.
Circa 700 personen werden ont-haald op erwten met spek, bene-vens een groot aantal op rijst
met rozijnen, terwijl bovendien

nog verschillende instellingen
mild werden bedacht...
Op het kerkhof bevindt zich ver-der het graf van de Duitser
Joseph Sinkel. In Leeuwarden
was hij filiaalhouder van de
legendarische Winkel van Sinkel.
Bekend van het versje:
In de winkel van Sinkel
is alles te koop,
potten en pannen,
mosterd en stroop,
hoeden en petten,
Ook damescorsetten.
Joseph reisde in 1833 met de
Lemmerboot naar Amsterdam,
maar tijdens een storm op de
Zuiderzee sloeg hij overboord;
zijn lijk spoelde vijf maanden
later in de buurt van Workum
aan.

JOPIE HUISMAN

Een legendarisch figuur afkom-stig uit Workum is tekenaar en
schilder Jopie Huisman
(1922–2000). Vanaf zijn jeugd
tekende hij voor zijn plezier en is
dat altijd blijven doen. Hij was
autodidact en heeft nooit zijn
werk verkocht, maar gaf het weg
aan mensen die hij het gunde.
Hij verdiende zijn brood als oud
ijzer- en lompenkoopman, de
afgedankte spullen inspireerden
hem om ze heel secuur na te
tekenen of na te schilderen. Zijn
portretten waren van 'gewone'
mensen. Jopie Huisman is een

beetje te vergelijken met Vincent van Gogh, alleen heeft Jopie wel bij leven erkenning voor zijn werk gekregen. In 1986 kreeg hij in Workum zijn eigen museum, dat nu het drukst bezochte museum van Friesland is.

Jopie was gek op paling, hij deed zelf graag aan paling peuren, een oude vorm van vissen op paling. Toen Jopie overleed, was er na afloop van zijn begrafenis geen koffie met cake, maar werd er paling rondgedeeld.

De sierlijke Waag van Workum op de Merk is oorspronkelijk een boterwaag.

Het Jopie Huismanmuseum is gevestigd in een modern gebouw op Noard 6, daarnaast is de oudheidskamer Warkums Erfskip en er tegenover, achter de schilderachtige 16e-eeuwse gevel zetelt de VVV.

De Noard en de Sud vormen één langgerekte straat die zich verbreedt tot de Markt, de Merk. Vroeger stroomde hier het Wijmerts kanaal, maar dat is nu gedempt. In het centrum staat de St.-Gertrudiskerk met de losstaande toren te pronken. Op de Merk staat ook het bekoorlijke gebouwtje van de Waag (1650), met voor de ingang een afdak

De Cornwerderpoldermolen met een modern broertje ten noorden van Workum; de streek van Makkumer en Workumer aardewerk is ook bekend om zijn botervette paling.

dat door zes zuiltjes gedragen wordt, en het deftige 15e-eeuwse raadhuis alsmede het zoge- naamde Friese huisje.
Workum is zeker geen stadje om even snel doorheen te gaan, je kunt er best één of twee dagen aangenaam toeven. Bovendien zijn er goede eetgelegenheden, met op het menu niet alleen paling!

Verantwoording

Alle hier beschreven tochten werden door mij in de periode februari 2006 – maart 2007 gemaakt. In diezelfde tijd werden ook alle IJsselmeerstadjes door mij bezocht en gefotografeerd.

Voor achtergrondinformatie maakte ik gebruik van o.m. de volgende publicaties:
Enkhuizer Almanak, Enkhuizen.
Jos Kluiters, *Natuurgids Het Noordhollands Landschap,* Schuyt & Co, Haarlem, 1994.
Noortje de Roy van Zuydewijn, *Met het oog op onderweg,* J.H. Gottmer, Haarlem, 1980.
Frits Gerritsen en Jan Peereboom, *Over Marken en haar Markers*, De Kleine Librije, Edam, 1982.
Pampus van binnen bekeken, Stichting Pampus, 2002.
ANWB, *Reisboek voor Nederland*
Schokland, Het Flevolandschap, Lelystad, 2006.
Diederik Mönch, *Zuiderzee-*

route, Buijten & Schipperheijn, Amsterdam, 2005.
Wim Kuyper, *Zwervend langs het IJsselmeer,* Uitgeverij De Boer Maritiem, 1978.

En diverse Googlesites.

Met dank aan de VVV's van Edam, Elburg, Enkhuizen, Hindeloopen, Hoorn, Makkum, Medemblik, Spakenburg, Stavoren, Urk en Workum.

*Speciale dank aan
Leo Zuidwijk,
chauffeur en langeafstandsloper.*

Eveneens van

TOM WEERHEIJM

Feesten in Europa

Naast de nationale feestdagen kent elk land een aantal jaarlijks
terugkerende volksfeesten. Het bekijken van die feesten geeft je vaak
het gevoel terug te blikken in de tijd en confronteert je met de
folkloristische eigenaardigheden van de verschillende
Europese landen.
Tom Weerheijm deed onderzoek naar de volksfeesten in een groot
aantal Europese landen, selecteerde een lijst van feesten die hij 'aan
vrienden' kon aanbevelen en bezocht meer dan zeventig lokale en
nationale evenementen. De weerslag van die negen jaar durende
speurtocht is met prachtige foto's in dit boek vastgelegd.
Aan de orde komen de meest kenmerkende feesten van België,
Duitsland, Frankrijk, Griekenland, Groot-Brittannië en Ierland, Italië,
Nederland, Oostenrijk, Portugal, de Scandinavische landen,
Spanje en Zwitserland.

Een boek om genietend door te bladeren, maar ook vol suggesties
voor een feestelijk weekend of een uitstapje tijdens de vakantie.
Misschien om het feest uit de weg te gaan, of juist om er een omweg
voor te maken om het te kunnen bijwonen...